Paul Claudel est né à Villeneuve-sur-Fère en 1868.

Elevé en dehors de la religion catholique, il trouve la foi à la suite d'une véritable révélation durant la nuit de Noël 1886. Il est reçu premier au concours des Affaires Étrangères, en 1890, et occupe divers postes consulaires avant d'être ambassadeur de France à Rio de Janeiro, Tokyo, Washington, et Bruxelles.

Conjointement à sa carrière diplomatique, Claudel compose son œuvre poétique et théâtrale. Œuvre unique dans la littérature française, inspirée à la fois par Rimbaud, par la Bible et par le théâtre espagnol, mais surtout qui reflète l'âme tourmentée de l'auteur partagée entre l'attrait des tentations terrestres et la soif de l'absolu divin.

Claudel est mort à Paris en 1955.

L'Annonce faite à Marie fut écrite en 1912. Ce poème dramatique est la plus populaire des œuvres de Claudel. Le personnage de Violaine incarne la maternité spirituelle et l'auteur a voulu, à travers elle, traiter le mystère de la conception de l'Esprit.

PAUL CLAUDEL

DE L'ACADÉMIE FRANÇAISE

L'annonce faite à Marie

ÉDITION AUGMENTÉE
D'UNE VARIANTE POUR LA SCÈNE DE L'ACTE IV

GALLIMARD

PERSONNAGES

ANNE VERCORS
JACQUES HURY
PIERRE DE CRAON

LA MÈRE
VIOLAINE
MARA

COMPARSES

PROLOGUE

La grange de Combernon. C'est un vaste édifice aux piliers carrés, avec des charpentes en ogives qui viennent s'y appuyer. Tout est vide, sauf le fond de l'aile de droite qui est encore rempli de paille, brins de paille par terre, le sol de terre battue. Au fond, grande porte à deux battants ménagée dans le mur épais, avec un appareil compliqué de barres et de serrures. Sur les vantaux sont peintes les images barbares de saint Pierre et de saint Paul, l'un tenant les clefs, l'autre le glaive. Un gros cierge de cire jaune fixé au pilier sur une patte de fer les éclaire.

Tout le drame se passe à la fin d'un Moyen Age de convention, tel que les poètes du Moyen Age pouvaient se figurer l'Antiquité.

Fin de la nuit et premières heures de la matinée.

Entre sur un gros cheval un homme vêtu d'un manteau noir avec une valise en croupe, PIERRE DE CRAON. Son ombre gigantesque et mouvante se dessine derrière lui sur le mur, le sol et les piliers.

VIOLAINE tout à coup sort au-devant de lui de derrière un pilier. Elle est grande et mince, les pieds nus, vêtue d'une robe de grosse laine, la tête coiffée d'un linge à la fois paysan et monastique.

VIOLAINE, levant en riant vers le chevalier ses deux mains avec les index croisés.

Halte, seigneur cavalier! Pied à terre!

PIERRE DE CRAON

Violaine!

Il descend de cheval.

VIOLAINE

Tout beau, maître Pierre! Est-ce ainsi qu'on décampe de la maison comme un voleur sans saluer honnêtement les dames?

PIERRE DE CRAON

Violaine, retirez-vous. Il fait nuit pleine encore et nous sommes seuls ici tous les deux.

Et vous savez que je ne suis pas un homme tellement sûr.

VIOLAINE

Je n'ai pas peur de vous, maçon! N'est pas un mauvais homme qui veut!

On ne vient pas à bout de moi comme on veut! Pauvre Pierre! Vous n'avez même pas réussi à me tuer.

Avec votre mauvais couteau! Rien qu'une petite coupure au bras dont personne ne s'est aperçu.

PIERRE DE CRAON

Violaine, il faut me pardonner.

VIOLAINE

C'est pour cela que je suis ici.

PIERRE DE CRAON

Vous êtes la première femme que j'aie touchée. Le diable m'a saisi tout d'un coup, qui profite de l'occasion.

VIOLAINE

Mais vous m'avez trouvée plus forte que lui!

PIERRE DE CRAON

Violaine, je suis ici plus dangereux qu'alors.

VIOLAINE

Allons-nous donc nous battre de nouveau?

PIERRE DE CRAON

Ma seule présence par elle-même est funeste.

Silence.

VIOLAINE

Je ne vous entends pas.

PIERRE DE CRAON

N'avais-je pas assez de pierres à assembler et de bois à joindre et de métaux à réduire?

Mon œuvre à moi, pour que tout d'un coup,

Je porte la main sur l'œuvre d'un autre et convoite une âme vivante avec impiété?

VIOLAINE

Dans la maison de mon père et de votre hôte! Seigneur! qu'aurait-on dit si on l'avait su? Mais je vous ai bien caché.

Et chacun comme auparavant vous prend pour un homme sincère et irréprochable.

PIERRE DE CRAON

Dieu juge le cœur sous l'apparence.

VIOLAINE

Ceci restera donc à nous trois.

PIERRE DE CRAON

Violaine!

VIOLAINE

Maître Pierre?

PIERRE DE CRAON

Mettez-vous là près de ce cierge que je vous
regarde bien.

> Elle se place en souriant sous le cierge.
> Il la regarde longuement.

VIOLAINE

Vous m'avez bien regardée?

PIERRE DE CRAON

Qui êtes-vous, jeune fille, et quelle est donc cette
part que Dieu en vous s'est réservée,

Pour que la main qui vous touche avec désir et
la chair même soit ainsi.

Flétrie, comme si elle avait approché le mystère
de sa résidence?

VIOLAINE

Que vous est-il donc arrivé depuis un an?

PIERRE DE CRAON

Le lendemain même de ce jour que vous savez...

VIOLAINE

Eh bien?

PIERRE DE CRAON

... J'ai reconnu à mon flanc le mal affreux.

VIOLAINE

Le mal, dites-vous? Quel mal?

PIERRE DE CRAON

La lèpre même dont il est parlé au livre de
Moïse.

VIOLAINE

Qu'est-ce que la lèpre?

PIERRE DE CRAON

Ne vous a-t-on jamais parlé de cette femme
autrefois qui vivait seule dans les roches du Géyn
Toute voilée du haut en bas et qui avait une
cliquette à la main?

VIOLAINE

C'est ce mal-là, maître Pierre?

PIERRE DE CRAON

Il est de nature telle
Que celui qui l'a conçu dans toute sa malice
Doit être mis à part aussitôt,
Car il n'est homme vivant si peu gâté que la
lèpre ne puisse y prendre.

VIOLAINE

Comment donc restez-vous parmi nous en liberté?

PIERRE DE CRAON

L'Evêque me l'a dispensé, et vous voyez que je
suis rare et peu fréquent,
Sauf à mes ouvriers pour les ordres à donner, et
mon mal est encore couvert et masqué
Et qui sans moi mènerait à leurs noces ces nais-
santes églises dont Dieu m'a remis la charge?

VIOLAINE

C'est pourquoi l'on ne vous a point vu cette fois
à Combernon?

PIERRE DE CRAON

Je ne pouvais m'exempter de revenir ici,

Car mon office est d'ouvrir le flanc de Monsanvierge

Et de fendre la paroi à chaque fois qu'un vol
nouveau de colombes y veut entrer de l'Arche haute
dont les guichets ne sont que vers le ciel seul
ouverts!

Et cette fois nous amenions à l'autel une illustre
hostie, un solennel encensoir,

La Reine elle-même, mère du Roi, montant en
sa personne,

Pour son fils défait de son royaume.

Et maintenant je m'en retourne à Rheims.

VIOLAINE

Faiseur de portes, laissez-moi vous ouvrir celle-ci.

PIERRE DE CRAON

N'y avait-il à la ferme personne autre pour me
rendre ce service?

VIOLAINE

La servante aime à dormir et m'a remis les clefs
sans peine.

PIERRE DE CRAON

N'avez-vous pas crainte et horreur du lépreux?

VIOLAINE

Dieu est là qui me sait garder.

PIERRE DE CRAON

Donnez-moi donc la clef.

VIOLAINE

Laissez-moi faire! Vous ne connaissez pas la manière de ces vieilles portes.

Eh bien! me prenez-vous pour une belle demoi-
selle

Dont les doigts effilés ne connaissent rien de plus
rude que l'éperon du nouveau chevalier, léger
comme un os d'oiseau, pour lui en armer le talon?
Vous allez voir!

> Elle ouvre les deux serrures qui grincent et tire
> les verrous.

PIERRE DE CRAON

Cette ferraille est fort rouillée.

VIOLAINE

On ne passe plus par cette porte. Mais le chemin
par là est plus court.

> Elle approche la barre avec effort.

J'ai ouvert la porte!

PIERRE DE CRAON

Qui tiendrait contre un tel assaillant?

Quelle poussière! le vieux vantail dans toute sa
hauteur craque et s'ébranle.

Les épeires noires fuient, les vieux nids croulent,
Et tout enfin s'ouvre par le milieu.

> La porte s'ouvre. On voit par la baie la cam-
> pagne couverte de prairies et de moissons dans
> la nuit.

VIOLAINE

Cette petite pluie a fait du bien à tout le monde.

PIERRE DE CRAON

La poussière du chemin sera couchée.

VIOLAINE, à voix basse, affectueusement.

Paix sur vous, Pierre!

> Silence. — Et tout soudain, sonore et clair et
> très haut dans le ciel, le premier coup de l'An-
> gélus. — PIERRE ôte son chapeau et tous deux
> font le signe de la croix.

VIOLAINE, les mains jointes et la figure vers le ciel, d'une voix admirable, limpide et pénétrante.

Regina Caeli, laetare, alleluia!

> Second coup.

PIERRE DE CRAON, à voix sourde.

Quia quem meruisti portere, alleluia!

> Troisième coup.

VIOLAINE

Resurrexit sicut dixit, alleluia!

PIERRE DE CRAON

Ora pro nobis Deum.

> Pause.

VIOLAINE

Gaude et laetare, Virgo Maria, alleluia!

PIERRE DE CRAON

Quia resurrexit dominus vere, alleluia.

Volée de l'Angélus.

PIERRE DE CRAON, très bas.

Oremus. Deus qui per resurrectionem Fili tui Domini Nostri Jesu Christi mundum laetificare dignatus es, praesta, quaesumus, ut per ejus Genitricem Virginem Mariam perpetuae capiamus gaudia vitae. Per eumdem Dominum Nostrum Jesum Christum qui tecum vivit et regnat in unitate Spiritus Sancti Deus per omnia saecula saeculorum.

VIOLAINE

Amen.

Tous deux se signent.

PIERRE DE CRAON

Comme l'Angélus sonne de bonne heure!

VIOLAINE

On dit là-haut Matines en pleine nuit comme chez les Chartreux.

PIERRE DE CRAON

Je serai ce soir à Rheims.

VIOLAINE

Vous savez bien le chemin? Cette haie-ci d'abord. Et puis cette maison basse dans le bosquet de sureaux sous lequel vous verrez cinq ou six ruches. *Beehives*

Et cent pas plus loin vous joignez la route
Royale.

Pause.

PIERRE DE CRAON

Pax tibi.

Comme toute la création est avec Dieu dans un
mystère profond!

Ce qui était caché redevient visible avec Lui et
je sens sur mon visage un souffle d'une fraîcheur
de rose.

Loue ton Dieu, terre bénite, dans les larmes et
l'obscurité!

Le fruit est pour l'homme, mais la fleur est pour
Dieu et la bonne odeur de tout ce qui naît.

Ainsi de la sainte âme cachée l'odeur comme de
la feuille de menthe a décelé sa vertu.

Violaine qui m'avez ouvert la porte, adieu! je
ne retournerai plus vers vous.

O jeune arbre de la science du Bien et du Mal,
voici que je commence à me séparer parce que
j'ai porté la main sur vous.

Et déjà mon âme et mon corps se divisent, comme
le vin dans la cuve mêlé à la grappe meurtrie!

Qu'importe? je n'avais pas besoin de femme. Je
n'ai point possédé de femme corruptible.

L'homme qui a préféré Dieu dans son cœur,
quand il meurt, il voit cet Ange qui le gardait.

Le temps viendra bientôt qu'une autre porte se
dissolve.

Quand celui qui a plu à peu de gens en cette

vie s'endort, ayant fini de travailler, entre les bras
de l'Oiseau éternel;

Quand déjà au travers des murs diaphanes de
tous côtés apparaît le sombre Paradis.

Et que les encensoirs de la nuit se mêlent à
l'odeur de la mèche infecte qui s'éteint!

stinkling wick

VIOLAINE

Pierre de Craon, je sais que vous n'attendez pas
de moi des « Pauvre homme! » et de faux soupirs,
et des « Pauvre Pierre ».

Car à celui qui souffre, les consolations d'un
consolateur joyeux ne sont pas de grand prix, et
son mal n'est pas pour nous ce qu'il est pour lui.

Souffrez avec Notre-Seigneur.

Mais sachez que votre action mauvaise est effacée

En tant qu'il est de moi, et je suis en paix avec
vous,

Et que je ne vous méprise et abhorre point parce
que vous êtes atteint et malade,

Mais je vous traiterai comme un homme sain
et Pierre de Craon, notre vieil ami, que je révère,
aime et crains.

Je vous le dis. C'est vrai.

PIERRE DE CRAON

Merci, Violaine.

VIOLAINE

Et maintenant j'ai à vous demander quelque
chose.

PIERRE DE CRAON

Parlez.

VIOLAINE

Quelle est cette belle histoire que mon père nous a racontée? Quelle est cette « justice » que vous construisez à Rheims et qui sera plus belle que Saint-Rémy et Notre-Dame?

PIERRE DE CRAON

C'est l'église que les métiers de Rheims m'ont donnée à construire sur l'emplacement de l'ancien Parc-aux-Ouilles,

Là où l'ancien Marc-de-l'Evêque a été brûlé cet antan.

Premièrement pour remercier Dieu de sept étés gras dans la détresse de tout le Royaume,

Les grains et le fruit à force, la laine bon marché et belle,

Les draps et le parchemin bien vendus aux marchands de Paris et d'Allemagne.

Secondement pour les libertés acquises, les privilèges conférés par le Roi Notre Sire,

L'ancien mandat contre nous des évêques Félix II et Abondant de Cramail,

Rescindé par le Pape,

Le tout à force d'épée claire et des écus champenois.

Car telle est la république chrétienne, non point de crainte servile,

Mais que chacun ait son droit, selon qu'il est
bon à l'établir, en diversité merveilleuse,
Afin que la charité soit remplie.

VIOLAINE

Mais de quel Roi parlez-vous et de quel Pape?
Car il y en a deux et l'on ne sait qui est le bon.

PIERRE DE CRAON

Le bon est celui qui nous a fait du bien.

VIOLAINE

Vous ne parlez pas comme il faut.

PIERRE DE CRAON

Pardonnez-moi. Je ne suis qu'un ignorant.

VIOLAINE

Et d'où vient ce nom qui est donné à la nouvelle
paroisse?

PIERRE DE CRAON

N'avez-vous jamais entendu parler de sainte Justice qui fut martyrisée du temps de l'Empereur
Julien dans un champ d'anis?

(Ces graines que l'on met dans notre pain d'épices
à la foire de Pâques.)

Essayant de détourner les eaux d'une source
souterraine pour nos fondations,

Nous avons retrouvé son tombeau avec ce titre
sur une dalle cassée en deux : JUSTITIA ANCIL-
LA DOMINI IN PACE.

Le frêle petit crâne était fracassé comme une
noix, c'était une enfant de huit ans,

Et quelques dents de lait tiennent encore à la
mâchoire.

De quoi tout Rheims est dans l'admiration, et
maints signes et miracles suivent le corps

Que nous avons placé en chapelle, attendant le
terme de l'œuvre.

Mais nous avons laissé les petites dents comme
une semence sous le grand bloc de base.

VIOLAINE

Quelle belle histoire! Et le père nous disait aussi
que toutes les dames de Rheims donnent leurs
bijoux pour la construction de la Justice?

PIERRE DE CRAON

Nous en avons un grand tas et beaucoup de Juifs
autour comme mouches.

> VIOLAINE tient les yeux baissés, tournant avec
> hésitation un gros anneau d'or qu'elle porte au
> quatrième doigt.

PIERRE DE CRAON

Quel est cet anneau, Violaine?

VIOLAINE

Silence.

Un anneau que Jacques m'a donné.

PIERRE DE CRAON

Je vous félicite.

Elle lui tend l'anneau.

VIOLAINE

Ce n'est pas décidé encore. Mon père n'a rien dit.

Eh bien! c'est ce que je voulais vous dire.

Prenez mon bel anneau qui est tout ce que j'ai et Jacques me l'a donné en secret.

PIERRE DE CRAON

Mais je ne le veux pas!

VIOLAINE

Prenez-le vite, car je n'aurai plus la force de m'en détacher.

Il prend l'anneau.

PIERRE DE CRAON

Que dira votre fiancé?

VIOLAINE

Ce n'est pas mon fiancé encore tout à fait.

L'anneau en moins ne change pas le cœur. Il me connaît. Il m'en donnera un autre en argent.

Celui-ci était trop beau pour moi.

PIERRE DE CRAON, l'examinant.

Il est d'or végétal, comme on savait les faire jadis avec un alliage de miel.

Il est facile comme la cire et rien ne peut le rompre.

VIOLAINE

Jacques l'a trouvé dans la terre en labourant, dans un endroit où l'on ramasse parfois de vieilles épées toutes vertes et de jolis morceaux de verre.

J'avais crainte à porter cette chose païenne qui appartient aux morts.

PIERRE DE CRAON

J'accepte cet or pur.

VIOLAINE

Et baisez pour moi ma sœur Justice.

PIERRE DE CRAON, la regardant soudain et comme frappé d'une idée.

Est-ce tout ce que vous avez à me donner pour elle? un peu d'or retiré de votre doigt?

VIOLAINE

Cela ne suffit-il pas à payer une petite pierre?

PIERRE DE CRAON

Mais Justice est une grande pierre elle-même.

VIOLAINE, riant.

Je ne suis pas de la même carrière.

PIERRE DE CRAON

Celle qu'il faut à la base n'est point celle qu'il faut pour le faîte.

VIOLAINE

Une pierre, si j'en suis une, que ce soit cette pierre active qui moud le grain accouplée à la meule jumelle.

PIERRE DE CRAON

Et Justitia aussi n'était qu'une humble petite
fille près de sa mère

Jusqu'à l'instant que Dieu l'appela à la confession.

VIOLAINE

Mais personne ne me veut aucun mal! Faut-il
que j'aille prêcher l'Evangile chez les Sarrasins?

PIERRE DE CRAON

Ce n'est point à la pierre de choisir sa place, mais
au Maître de l'œuvre qui l'a choisie.

VIOLAINE

Loué donc soit Dieu qui m'a donné la mienne
tout de suite et je n'ai plus à la chercher. Et je ne
lui en demande point d'autre.

Je suis Violaine, j'ai dix-huit ans, mon père s'appelle Anne Vercors, ma mère s'appelle Elisabeth,

Ma sœur s'appelle Mara, mon fiancé s'appelle
Jacques. Voilà, c'est fini, il n'y a plus rien à savoir.

Tout est parfaitement clair, tout est réglé
d'avance et je suis très contente.

Je suis libre, je n'ai à m'inquiéter de rien, c'est
un autre qui me mène, le pauvre homme, et qui
sait tout ce qu'il y a à faire!

Semeur de clochers, venez à Combernon! nous
vous donnerons de la pierre et du bois, mais vous
n'aurez pas la fille de la maison!

Et d'ailleurs, n'est-ce pas ici déjà maison de Dieu,
terre de Dieu, service de Dieu?

Est-ce que notre charge n'est pas du seul Monsanvierge que nous avons à nourrir et garder, four-
nissant le pain, le vin et la cire,

Relevant de cette seule aire d'anges à demi dé-
ployés?

Ainsi comme les hauts Seigneurs ont leur colom-
bier, nous avons le nôtre aussi, reconnaissable au
loin.

PIERRE DE CRAON

Jadis passant dans la forêt de Fismes j'ai entendu
deux beaux chênes qui parlaient entre eux,

Louant Dieu qui les avait faits inébranlables à
la place où ils étaient nés.

Maintenant, à la proue d'une drome, l'un fait
la guerre aux Turcs sur la mer Océane,

L'autre, coupé par mes soins, au travers de la
Tour de Laon,

Soutient Jehanne la bonne cloche dont la voix
s'entend à dix lieues.

Jeune fille, dans mon métier, on n'a pas les yeux
dans sa poche. Je reconnais la bonne pierre sous
les genévriers et le bon bois comme un maître
pivert :

Tout de même les hommes et les femmes.

VIOLAINE

Mais pas les jeunes filles, maître Pierre! Ça,
c'est trop fin pour vous.

Et d'abord il n'y a rien à connaître du tout.

PIERRE DE CRAON, à demi-voix.

Vous l'aimez bien, Violaine?

VIOLAINE, les yeux baissés.

C'est un grand mystère entre nous deux.

PIERRE DE CRAON

Bénie sois-tu dans ton chaste cœur!

La sainteté n'est pas d'aller se faire lapider chez les Turcs ou de baiser un lépreux sur la bouche,

Mais de faire le commandement de Dieu aussitôt, Qu'il soit

De rester à notre place, ou de monter plus haut.

VIOLAINE

Ah! que ce monde est beau et que je suis heureuse!

PIERRE DE CRAON, à demi-voix.

Ah! que ce monde est beau et que je suis malheureux!

VIOLAINE, levant le doigt vers le ciel.

Homme de la ville, écoutez!

Pause.

Entendez-vous tout là-haut cette petite âme qui chante?

PIERRE DE CRAON

C'est l'alouette!

VIOLAINE

C'est l'alouette, *alleluia!* L'alouette de la terre chrétienne, *alleluia, alleluia!*

L'entendez-vous qui crie quatre fois de suite hi!
hi! hi! hi! plus haut, plus haute!

La voyez-vous, les ailes étendues, la petite croix
véhémente, comme les séraphins qui ne sont
qu'ailes sans aucuns pieds et une voix perçante
devant le trône de Dieu?

PIERRE DE CRAON

Je l'entends.

Et c'est ainsi qu'une fois je l'ai entendue à l'aurore, le jour que nous avons dédié ma fille, Notre-
Dame de la Couture,

Et il lui brillait un peu d'or, à la pointe extrême
de cette grande chose que j'avais faite, comme une
étoile neuve!

VIOLAINE

Pierre de Craon, si vous aviez fait de moi à votre
volonté,

Est-ce que vous en seriez plus joyeux, maintenant,
ou est-ce que j'en serais plus belle?

PIERRE DE CRAON

Non, Violaine.

VIOLAINE

Et est-ce que je serais encore cette même Violaine
que vous aimiez?

PIERRE DE CRAON

Non pas elle, mais une autre.

VIOLAINE

Et lequel vaut mieux, Pierre? Que je vous partage ma joie, ou que je partage votre douleur?

PIERRE DE CRAON

Chante au plus haut du ciel, alouette de France!

VIOLAINE

Pardonnez-moi parce que je suis trop heureuse!
parce que celui que j'aime

M'aime, et je suis sûre de lui, et je sais qu'il
m'aime, et tout est égal entre nous!

Et parce que Dieu m'a faite pour être heureuse
et non point pour le mal et aucune peine.

PIERRE DE CRAON

Va au ciel d'un seul trait!

Quant à moi, pour monter un peu, il me faut
tout l'ouvrage d'une cathédrale et ses profondes
fondations.

VIOLAINE

Et dites-moi que vous pardonnez à Jacques parce
qu'il va m'épouser.

PIERRE DE CRAON

Non, je ne lui pardonne pas.

VIOLAINE

La haine ne vous fait pas de bien, Pierre, et
elle me fait du chagrin.

PIERRE DE CRAON

C'est vous qui me faites parler. Pourquoi me forcer à montrer l'affreuse plaie qu'on ne voit pas?

Laissez-moi partir et ne m'en demandez pas davantage. Nous ne nous reverrons plus.

Tout de même j'emporte son anneau!

VIOLAINE

Laissez votre haine à la place et je vous la rendrai quand vous en aurez besoin.

PIERRE DE CRAON

Mais aussi, Violaine, je suis bien malheureux!

Il est dur d'être un lépreux et de porter avec soi la plaie infâme et de savoir que l'on ne guérira pas et que rien n'y fait,

Mais que chaque jour elle gagne et pénètre, et d'être seul et de supporter son propre poison, et de se sentir tout vivant corrompre!

Et non point, la mort, seulement une fois et dix fois la savourer, mais sans en rien perdre jusqu'au bout l'affreuse alchimie de la tombe!

C'est vous qui m'avez fait ce mal par votre beauté, car avant de vous voir j'étais pur et joyeux,

Le cœur à mon seul travail et l'idée sous l'ordre d'un autre.

Et maintenant que c'est moi qui commande à mon tour et de qui l'on prend le dessin,

Voici que vous vous tournez vers moi avec ce sourire plein de poison!

VIOLAINE

Le poison n'était pas en moi, Pierre!

PIERRE DE CRAON

Je le hais, il était en moi, et il y est toujours et cette chair malade n'a pas guéri l'âme atteinte!

O petite âme, est-ce qu'il était possible que je vous visse sans que je vous aimasse?

VIOLAINE

Et certes vous avez montré que vous m'aimiez!

PIERRE DE CRAON

Est-ce ma faute si le fruit tient à la branche?

Et quel est celui qui aime qui ne veut avoir tout de ce qu'il aime?

VIOLAINE

Et c'est pourquoi vous avez essayé de me détruire?

PIERRE DE CRAON

L'homme outragé aussi a ses ténèbres comme la femme.

VIOLAINE

En quoi vous ai-je manqué?

PIERRE DE CRAON

O image de la Beauté éternelle, tu n'es pas à moi!

VIOLAINE

Je ne suis pas une image! Ce n'est pas une manière de dire les choses!

PIERRE DE CRAON

Un autre prend en vous ce qui était à moi.

VIOLAINE

Il reste l'image.

PIERRE DE CRAON

Un autre me prend
Violaine et me laisse cette chair atteinte et esprit
dévoré!

VIOLAINE

Soyez un homme, Pierre! Soyez digne de la flamme
qui vous consume!

Et s'il faut être dévoré que ce soit sur un candé-
labre d'or comme le Cierge Pascal en plein chœur
pour la gloire de toute l'Eglise!

PIERRE DE CRAON

Tant de faîtes sublimes! Ne verrai-je jamais
celui de ma petite maison dans les arbres?

Tant de clochers dont l'ombre en tournant écrit
l'heure sur toute une ville! Ne ferai-je jamais le
dessin d'un four et de la chambre des enfants?

VIOLAINE

Il ne fallait pas que je prisse pour moi seule ce
qui est à tous.

PIERRE DE CRAON

Quand sera la noce Violaine?

VIOLAINE

A la Saint-Michel, je suppose, lorsque la moisson est finie.

PIERRE DE CRAON

Ce jour-là, quand les cloches de Monsanvierge se seront tues, prêtez l'oreille et vous m'entendrez bien loin de Rheims répondre.

VIOLAINE

Qui prend soin de vous là-bas?

PIERRE DE CRAON

J'ai toujours vécu comme un ouvrier; une botte de paille me suffit entre deux pierres, un habit de cuir, un peu de lard sur du pain.

VIOLAINE

Pauvre Pierre!

PIERRE DE CRAON

Ce n'est pas de cela qu'il faut me plaindre; nous sommes à part.

Je ne vis pas de plain-pied avec les autres hommes, toujours sous terre avec les fondations ou dans le ciel avec le clocher.

VIOLAINE

Eh bien! Nous n'aurions pas fait ménage ensemble! Je ne puis monter au grenier sans que la tête me tourne.

PIERRE DE CRAON

Cette église seule sera ma femme qui va être tirée de mon côté comme une Ève de pierre, dans le sommeil de la douleur.

Puissé-je bientôt sous moi sentir s'élever mon vaste ouvrage, poser la main sur cette chose indestructible que j'ai faite et qui tient ensemble dans toutes ses parties, cette œuvre bien fermée que j'ai construite de pierre forte afin que le principe y commence, mon œuvre que Dieu habite!

Je ne descendrai plus! C'est moi qu'à cent pieds au-dessous, sur le pavé quadrillé, un paquet de jeunes filles enlacées désigne d'un doigt aigu!

VIOLAINE

Il faut descendre. Qui sait si je n'aurai pas besoin de vous un jour?

PIERRE DE CRAON

Adieu, Violaine, mon âme, je ne vous verrai plus!

VIOLAINE

Qui sait si vous ne me verrez plus?

PIERRE DE CRAON

Adieu, Violaine!

Que de choses j'ai faites déjà! Quelles choses il me reste à faire et suscitation de demeures!

De l'ombre avec Dieu.

Non point les heures de l'Office dans un livre, mais les vraies, avec une cathédrale dont le soleil successif fait de toutes les parties lumière et ombre!

J'emporte votre anneau.

Et de ce petit cercle je vais faire une semence d'or!

« Dieu a fait séjourner le déluge » comme il est dit au psaume du baptême,

Et moi entre les parois de la Justice je contiendrai l'or du matin!

La lumière profane change mais non point celle que je décanterai sous ces voûtes,

Pareille à celle de l'âme humaine pour que l'hostie réside au milieu,

L'âme de Violaine, mon enfant, en qui mon cœur se complaît.

Il y a des églises qui sont comme des gouffres, et d'autres qui sont comme des fournaises.

Et d'autres si juste combinées, et de tel art tendues, qu'il semble que tout sonne sous l'ongle.

Mais celle que je vais faire sera sous sa propre ombre comme celle de l'or condensé et comme une pyxide pleine de manne!

VIOLAINE

O maître Pierre, le beau vitrail que vous avez donné aux moines de Chinchy.

PIERRE DE CRAON

Le verre n'est pas de mon art, bien que j'y entende quelque chose.

Mais avant le verre, l'architecte, par la disposition qu'il sait,

Construit l'appareil de pierre comme un filtre
dans les eaux de la Lumière de Dieu,

Et donne à tout l'édifice son orient comme à
une perle.

> MARA VERCORS est entrée et les observe sans
> qu'ils la voient.

— Et maintenant adieu! Le soleil est levé, je
devrais déjà être loin.

VIOLAINE

Adieu, Pierre!

PIERRE DE CRAON

Adieu, Violaine!

VIOLAINE

Pauvre Pierre!

> Elle le regarde, les yeux pleins de larmes, hésite
> et lui tend la main. Il la saisit et pendant qu'il
> la tient dans les siennes elle se penche et le
> baise sur le visage.
>
> MARA fait un geste de surprise et sort.
> PIERRE DE CRAON et VIOLAINE sortent,
> chacun de leur côté.

ACTE PREMIER

SCÈNE PREMIÈRE

La cuisine de Combernon, vaste pièce avec une grande cheminée à hotte armoriée, une longue table au milieu et
tous les ustensiles, comme dans un tableau de Breughel.
LA MÈRE, devant la cheminée, s'efforce de ranimer les
braises. ANNE VERCORS, debout, la considère. C'est un
homme grand et vigoureux de soixante ans, avec une
grande barbe blonde qui est mêlée de beaucoup de blanc.

LA MÈRE, sans se retourner.

Pourquoi me regardes-tu ainsi?

ANNE VERCORS

Il pense.

La fin, déjà! C'est comme un livre d'images
quand on va tourner la dernière.

« Après la nuit, la femme ayant ranimé le feu
domestique... », et l'histoire humble et touchante
finit.

C'est comme si je n'étais plus, déjà, ici. Devant
mes yeux, la voilà déjà comme si c'était en souvenir.

Tout haut.

O femme! voici depuis que nous nous sommes
épousés
Avec l'anneau qui a la forme de Oui, un mois,
Un mois dont chaque jour est une année.
Et longtemps tu m'es demeurée vaine
Comme un arbre qui ne produit que de l'ombre.
Et un jour nous nous sommes
Considérés dans le milieu de notre vie,
Elisabeth! et j'ai bu lès premières rides sur ton
front et autour de tes yeux.
Et, comme le jour de notre mariage,
Nous nous sommes étreints et pris, non plus
dans l'allégresse,
Mais dans la tendresse et dans la compassion et
la pitié de notre foi mutuelle.
Et voici entre nous l'enfant et l'honnêteté
De ce doux narcisse, Violaine.
Et puis, la seconde nous naît
Mara la noire. Une autre fille et ce n'était pas
un garçon.

Pause.

Allons, maintenant, dis ce que tu as à dire, car
je sais quand c'est
Que tu te mets à parler sans vous regarder, disant quelque chose et rien. Voyons!

LA MÈRE

Tu sais bien que l'on ne peut rien te dire. Mais
tu n'es jamais là, mais il faut que je t'attrape pour
te remettre un bouton.

Mais tu ne nous écoutes pas, mais comme un
chien de garde tu guettes,
Attentif aux bruits de la porte.
Mais les hommes ne comprennent rien.

ANNE VERCORS

Voici que les petites filles sont grandes.

LA MÈRE

Elles? Non.

ANNE VERCORS

A qui allons-nous marier ça?

LA MÈRE

Les marier, Anne, dis-tu? Nous avons le temps
d'y penser.

ANNE VERCORS

O fausseté de femme! Dis! Quand penses-tu une
chose
Que tu ne nous dises d'abord le contraire, mali-
gnité! Je te connais.

LA MÈRE

Je ne dirai plus rien.

ANNE VERCORS

Jacques Hury.

LA MÈRE

Eh bien?

ANNE VERCORS

Voilà. Je lui donnerai Violaine.

Et il sera à la place du garçon que je n'ai pas eu. C'est un homme droit et courageux.

Je le connais depuis qu'il est un petit gars et que sa mère nous l'a donné. C'est moi qui lui ai tout appris,

Les graines, les bêtes, les gens, les armes, les outils, les voisins, les supérieurs, la coutume — Dieu —

Le temps qu'il fait, l'habitude de ce terroir antique,

La manière de réfléchir avant que de parler.

Je l'ai vu devenir homme pendant qu'il me regardait, et la barbe lui pousser autour de sa bonne figure,

Comme voilà qu'elle est maintenant, toute droite et par pinceaux comme des épis d'orge.

Et il n'était point de ceux qui contredisent, mais qui réfléchissent, comme une terre qui accepte toutes les graines.

Et ce qui est faux, ne prenant aucunes racines, cela meurt;

Et ainsi pour ce qui est vrai on ne peut dire qu'il y croit, mais cela croît en lui, ayant trouvé nourriture.

LA MÈRE

Que sais-tu s'ils s'aiment?

ANNE VERCORS

Violaine
Fera ce que je lui aurai dit.
Et pour lui, je sais qu'il l'aime et tu le sais aussi.
Cependant le sot n'ose rien me dire. Mais je la
lui donnerai s'il veut. Cela sera ainsi.

LA MÈRE

Oui.
Sans doute que cela va bien ainsi.

ANNE VERCORS

N'as-tu rien de plus à dire?

LA MÈRE

Quoi donc?

ANNE VERCORS

Eh bien! je m'en vais le chercher.

LA MÈRE

Comment, le chercher? Anne!

ANNE VERCORS

Je veux que tout soit réglé incontinent. Je te
dirai tout à l'heure pourquoi.

LA MÈRE

Qu'as-tu à me dire? — Anne, écoute-moi un peu...
Je crains...

ANNE VERCORS

Eh bien?

LA MÈRE

Mara

Couchait dans ma chambre cet hiver, pendant que tu étais malade, et nous causions le soir dans nos lits.

Bien sûr que c'est un brave garçon et je l'aime comme mon enfant, presque.

Il n'a pas de bien, c'est vrai, mais c'est un bon laboureur, et il est de bonne famille.

Nous pourrions leur donner

Notre cens des Demi-Muids avec les terres du bas qui sont trop loin pour nous. — Je voulais te parler de lui aussi.

ANNE VERCORS

Eh bien?

LA MÈRE

Eh bien! rien.

Sans doute que Violaine est l'aînée.

ANNE VERCORS

Allons, après?

LA MÈRE

Après? que sais-tu pour sûr s'il l'aime? — Notre compère, maître Pierre,

(Pourquoi est-il resté à l'écart cette fois-ci sans voir personne?)

Tu l'as vu l'an dernier quand il est venu.

Et de quel air il la regardait pendant qu'elle

nous servait. — Certainement il n'a pas de terre,
mais il gagne bien de l'argent.

— Et elle, pendant qu'il parlait,
Comme elle l'écoutait, les yeux tout grands
comme une innocente.

Oubliant de verser à boire, en sorte que j'ai dû
me mettre en colère!

— Et Mara, tu la connais! Tu sais comme elle
est butée!

Si elle a idée, donc,
Qu'elle épouse Jacques —, hé la! elle est dure
comme le fer.

Moi, je ne sais pas! Peut-être qu'il vaudrait
mieux...

ANNE VERCORS

Qu'est-ce que ces bêtises?

LA MÈRE

C'est bien! c'est bien! On peut causer comme ça.
Il ne faut pas se fâcher.

ANNE VERCORS

Je le veux.
Jacques épousera Violaine.

LA MÈRE

Eh bien! il l'épousera donc.

ANNE VERCORS

Et maintenant, pauvre maman, j'ai autre chose
à te dire, la vieille! Je pars!

LA MÈRE

Tu pars? tu pars, vieil homme?
Qu'est-ce que tu dis là?

ANNE VERCORS

C'est pourquoi il faut que Jacques épouse Violaine sans tarder et qu'il soit l'homme ici à ma place.

LA MÈRE

Seigneur! tu pars? c'est pour de bon? Et où c'est que tu vas?

ANNE VERCORS, montrant vaguement le midi.

Là-bas.

LA MÈRE

A Château?

ANNE VERCORS

Plus loin que Château.

LA MÈRE. baissant la voix.

A Bourges, chez l'autre Roi?

ANNE VERCORS

Chez le Roi des Rois, à Jérusalem.

LA MÈRE

Seigneur!

Elle s'assied.

C'est-il que la France n'est plus assez bonne pour toi?

ANNE VERCORS

Il y a trop de peine en France.

LA MÈRE

Mais nous sommes ici bien à l'aise et personne
ne touche à Rheims.

ANNE VERCORS

C'est cela.

LA MÈRE

C'est cela quoi?

ANNE VERCORS

C'est cela, nous sommes trop heureux.
Et les autres pas assez.

LA MÈRE

Anne, ce n'est pas de notre faute.

ANNE VERCORS

Ce n'est pas de la leur non plus.

LA MÈRE

Je ne sais pas. Je sais que tu es là et que j'ai
deux enfants.

ANNE VERCORS

Mais tu vois au moins que tout est ému et dé-
rangé de sa place, et chacun recherche éperdument
où elle est.

Et ces fumées que l'on voit parfois au loin, ce n'est pas de la vaine paille qui brûle.

Et ces grandes bandes de pauvres qui nous arrivent de tous les côtés.

Il n'y a plus de Roi sur la France, selon qu'il a été prédit par le Prophète[1].

LA MÈRE

C'est ce que tu nous lisais l'autre jour?

ANNE VERCORS

A la place du Roi nous avons deux enfants.
L'un, l'Anglais, dans son île
Et l'autre, si petit qu'on ne le voit plus, entre les roseaux de la Loire.

A la place du Pape, nous en avons trois et à la place de Rome, je ne sais quel concile en Suisse.
Tout entre en lutte et en mouvement,
N'étant plus maintenu par le poids supérieur.

LA MÈRE

Et toi aussi, où veux-tu t'en aller?

ANNE VERCORS

Je ne puis plus tenir ici.

1. « Voici que le Seigneur ôtera de Jérusalem et de Juda l'homme fort et valide, toute-puissance du pain et toute celle de l'eau, le fort et l'homme de guerre, et le prophète, et le divinateur, et le vieillard; le prince au-dessus de cinquante ans et toute personne honorable; et le sage architecte et l'expert du langage mystique. Et je leur donnerai des enfants pour princes et des efféminés seront leurs maîtres. » (Is.)

LA MÈRE

Anne, t'ai-je fait aucune peine?

ANNE VERCORS

Non, mon Elisabeth.

LA MÈRE

Voici que tu m'abandonnes dans ma vieillesse.

ANNE VERCORS

Toi-même, donne-moi congé.

LA MÈRE

Tu ne m'aimes plus et tu n'es plus heureux avec moi.

ANNE VERCORS

Je suis las d'être heureux.

LA MÈRE

Ne méprise point le don que Dieu accorde.

ANNE VERCORS

Dieu soit loué qui m'a comblé de ses bienfaits!
Voici trente ans que je tiens ce fief sacré de mon père et que Dieu pleut sur mes sillons.
Et depuis dix ans il n'est pas une heure de mon travail
Qu'il n'ait quatre fois payée et une fois encore,
Comme s'il ne voulait pas rester en balance avec moi et laisser ouvert aucun compte.
Tout périt et je suis épargné.

En sorte que je paraîtrai devant lui vide et sans titre, entre ceux qui ont reçu leur récompense.

LA MÈRE

C'est assez que d'un cœur reconnaissant.

ANNE VERCORS

Mais moi je ne suis pas rassasié de ses biens,
Et parce que j'ai reçu ceux-ci, pourquoi laisse-rais-je à d'autres les plus grands?

LA MÈRE

Je ne t'entends pas.

ANNE VERCORS

Lequel reçoit davantage, le vase plein, ou vide?
Et laquelle a besoin de plus d'eau, la citerne ou la source?

LA MÈRE

La nôtre est presque tarie par ce grand été.

ANNE VERCORS

Tel a été le mal du monde, que chacun a voulu jouir de ses biens, comme s'ils avaient été créés pour lui,
Et non point comme s'il les avait reçus de Dieu en commande,
Le Seigneur de son fief, le père de ses enfants,
Le Roi de son Royaume et le clerc de sa dignité.
C'est pourquoi Dieu a fait passer de lui toutes ces choses qui passent,

Et il a envoyé à chaque homme la libération et le jeûne.

Et ce qui est la part des autres, pourquoi non pas la mienne?

LA MÈRE

Tu as ton devoir avec nous.

ANNE VERCORS

Non pas si tu m'en délies.

LA MÈRE

Je ne t'en délierai pas.

ANNE VERCORS

Tu vois que la part que j'avais à faire est faite. Les deux enfants sont élevés, Jacques est là qui prend ma place.

LA MÈRE

Qui t'appelle loin de nous?

ANNE VERCORS, souriant.

Un ange sonnant de la trompette.

LA MÈRE

Quelle trompette?

ANNE VERCORS

La trompette sans aucun son que tous entendent. La trompette qui cite tous les hommes de temps en temps afin que les parts soient redistribuées.

Celle de Josaphat, avant qu'elle n'ait fait bruit.

Celle de Bethléem, quand Auguste comptait la terre.

Celle de l'Assomption, quand les apôtres furent convoqués.

La voix qui remplace le Verbe, quand le chef ne se fait plus entendre.

Au corps qui cherche son unité.

LA MÈRE

Jérusalem est si loin!

ANNE VERCORS

Le paradis l'est davantage.

LA MÈRE

Dieu au tabernacle est avec nous ici même.

ANNE VERCORS

Mais non point ce grand trou dans la terre!

LA MÈRE

Quel trou?

ANNE VERCORS

Qu'y fit la Croix lorsqu'elle fut plantée.

La voici qui tire tout à elle.

Là est le point qui ne peut être défait, le nœud qui ne peut être dissous,

Le patrimoine commun, la borne intérieure qui ne peut être arrachée,

Le centre et l'ombilic de la terre, le milieu de l'humanité en qui tout tient ensemble.

LA MÈRE

Que peut un seul pèlerin?

ANNE VERCORS

Je ne suis pas seul! C'est un grand peuple qui se réjouit et qui part avec moi!

Le peuple de tous mes morts avec moi,

Ces âmes l'une sur l'autre dont il ne reste plus que la pierre, toutes ces pierres baptisées avec moi qui réclament leur assise!

Et puisqu'il est vrai que le chrétien n'est pas seul, mais qu'il communique à tous ses frères,

C'est tout le royaume avec moi qui appelle et tire au Siège de Dieu et qui reprend sens et direction vers lui

Et dont je suis le député et que j'emporte avec moi pour

L'étendre de nouveau sur l'éternel patron.

LA MÈRE

Qui sait si nous n'aurons pas nécessité de toi ici?

ANNE VERCORS

Qui sait si l'on n'a pas nécessité de moi ailleurs?

Tout est en branle, qui sait si je ne gêne pas l'ordre de Dieu en restant à cette place

Où le besoin qui était de moi a cessé?

LA MÈRE

Je sais que tu es un homme inflexible.

ANNE VERCORS, tendrement, changeant de voix.

Tu es toujours jeune et belle pour moi et l'amour que j'ai pour ma douce Elisabeth aux cheveux noirs est grand.

LA MÈRE

Mes cheveux sont gris!

ANNE VERCORS

Dis oui, Elisabeth...

LA MÈRE

Anne, tu ne m'as pas quittée pendant ces trente années. Qu'est-ce que je vais devenir sans mon chef et mon compagnon?

ANNE VERCORS

... Le oui qui nous sépare, à cette heure, bien bas,

Aussi plein que celui qui nous a fait jadis un seul.

Silence.

LA MÈRE, tout bas.

Oui, Anne.

ANNE VERCORS

Patience, Zabillet! Bientôt je serai revenu.

Ne peux-tu avoir foi en moi un peu de temps, sans que je sois ici?

Bientôt vient une autre séparation.

— Allons, mets-moi le repas de deux jours dans un sac. Il faut partir.

LA MÈRE

Eh quoi! aujourd'hui, aujourd'hui même?

ANNE VERCORS

Aujourd'hui même.

> Elle penche la tête et demeure immobile. Il la serre dans ses bras sans qu'elle fasse un mouvement.

Adieu, Elisabeth!

LA MÈRE

Hélas! vieil homme, je ne te verrai plus.

ANNE VERCORS

Et maintenant je vais chercher Jacques.

SCÈNE II

Entre MARA.

MARA, à la MÈRE.

Va, et dis-lui qu'elle ne l'épouse pas.

LA MÈRE

Mara! Comment, tu étais là?

MARA

Va-t'en, je te dis, lui dire qu'elle ne l'épouse pas!

LA MÈRE

Qui, elle? qui, lui? que sais-tu si elle l'épouse?

MARA

J'étais là. J'ai tout entendu.

LA MÈRE

Eh bien, ma fille! c'est ton père qui le veut.
Tu as vu que j'ai fait ce que j'ai pu et on ne le
fait pas changer d'idée.

MARA

Va-t'en lui dire qu'elle ne l'épouse pas, ou je me
tuerai!

LA MÈRE

Mara!

MARA

Je me pendrai dans le bûcher,
Là où l'on a trouvé le chat pendu.

LA MÈRE

Mara! méchante!

MARA

Voilà encore qu'elle vient me le prendre!
Voilà qu'elle vient me le prendre à cette heure!
C'est moi

Qui devais toujours être sa femme, et non pas elle.

Elle sait très bien que c'est moi.

LA MÈRE

Elle est l'aînée.

MARA

Qu'est-ce que cela fait?

LA MÈRE

C'est ton père qui le veut.

MARA

Cela m'est égal.

LA MÈRE

Jacques Hury
L'aime.

MARA

Ça n'est pas vrai! Je sais bien que vous ne m aimez pas!

Vous l'avez toujours préférée! Oh! quand vous parlez de votre Violaine, c'est du sucre,

C'est comme une cerise qu'on suce, au moment que l'on va cracher le noyau!

Mais Mara l'agache! Elle est dure comme le fer, elle est aigre comme la cesse!

Avec cela, qu'elle est déjà si belle, votre Violaine!

Et voilà qu'elle va avoir Combernon à cette heure!

Qu'est-ce qu'elle sait faire, la gnolle? qui est-ce
de nous deux qui fait marcher la charrette?

Elle se croit comme saint Onzemillevierges!
Mais moi, je suis Mara Vercors qui n'aime pas l'in-
justice et le faire accroire,

Mara qui dit la vérité et c'est cela qui met les
gens en colère!

Qu'ils s'y mettent! je leur fais la figue. Il n'y a
pas une de ces femmes ici qui grouille devant moi,
les bonifaces! Tout marche comme au moulin.

Et voilà que tout est pour elle et rien pour moi.

LA MÈRE

Tu auras ta part.

MARA

Voire! Les grèves d'en haut! des limons qu'il
faut cinq bêtes pour labourer! les mauvaises terres
de Chinchy.

LA MÈRE

Ça rapporte bien tout de même.

MARA

Sûrement.

Des chiendents et des queues-de-renard, du séné
et des bouillons-blancs!

J'aurai de quoi me faire de la tisane.

LA MÈRE

Mauvaise, tu sais bien que ce n'est pas vrai!
Tu sais bien qu'on ne te fait pas tort de rien!

Mais c'est toi qui as toujours été méchante!
Quand tu étais petite,
Tu ne criais pas quand on te battait,
Dis, noirpiaude, vilaine!
Est-ce qu'elle n'est pas l'aînée? Qu'as-tu à lui
reprocher,
Jalouse? Mais elle fait toujours ce que tu veux.
Eh bien! elle se mariera la première, et tu te
marieras, toi aussi, après!
Et du reste, il est trop tard, car le père va s'en
aller, oh! que je suis triste!
Il est allé parler à Violaine et il va chercher
Jacques.

MARA

C'est vrai! Va tout de suite! Va-t'en tout de suite!

LA MÈRE

Où cela?

MARA

Mère, voyons! Tu sais bien que c'est moi! Dis-lui
qu'elle ne l'épouse pas, maman!

LA MÈRE

Assurément je n'en ferai rien.

MARA

Répète-lui seulement ce que j'ai dit. Dis-lui que
je me tuerai. Tu m'as bien entendue?

Elle la regarde fixement.

LA MÈRE

Ha!

MARA

Crois-tu que je ne le ferai pas?

LA MÈRE

Si fait, mon Dieu!

MARA

Va donc!

LA MÈRE

O
Tête!

MARA

Tu n'es là-dedans pour rien.
Répète-lui seulement ce que j'ai dit.

LA MÈRE

Et lui, que sais-tu s'il voudra t'épouser?

MARA

Certainement il ne voudra pas.

LA MÈRE

Eh bien...

MARA

Eh bien?

LA MÈRE

Ne crois pas que je lui conseille de faire ce que
tu veux! au contraire!
Je répéterai seulement ce que tu as dit. Bien sûr
Qu'elle ne sera pas assez sotte que de te céder,
si elle me croit.

Elle sort.

SCÈNE III

Entrent ANNE VERCORS et JACQUES HURY, puis VIO-
LAINE, puis les serviteurs de la ferme.

ANNE VERCORS, s'arrêtant.

Hé! que me racontes-tu là?

JACQUES HURY

Tel que je vous le dis

Cette fois je l'ai pris sur le fait, la serpe à la main

Je venais tout doucement par-derrière et tout
d'un coup

Flac! je me suis jeté sur lui de toute ma hauteur,

Tout chaud, comme on se jette sur un lièvre
au gîte au temps de la moisson.

Et vingt jeunes peupliers en botte à côté de lui,
ceux auxquels vous tenez tant!

ANNE VERCORS

Que ne venait-il me trouver? Je lui aurais donné
le bois qu'il faut.

JACQUES HURY

Le bois qu'il lui faut, c'est le manche de mon
fouet!

Ce n'est pas le besoin, c'est mauvaiseté, c'est idée
de faire le mal!

Ce sont ces mauvaises gens de Chevoche qui
sont toujours prêtes à faire n'importe quoi

Par gloire, pour braver le monde!

Mais pour cet homme-là, je vais lui couper les oreilles avec mon petit couteau!

ANNE VERCORS

Non.

JACQUES HURY

Du moins laissez-moi l'attacher à la herse par les poignets devant la Grand'porte,

La figure tournée contre les dents; avec le chien Faraud pour le surveiller.

ANNE VERCORS

Non plus.

JACQUES HURY

Qu'est-ce donc qu'il faut faire?

ANNE VERCORS

Le renvoyer chez lui.

JACQUES HURY

Avec son fagot?

ANNE VERCORS

Et avec un autre que tu lui donneras.

JACQUES HURY

Notre père, ce n'est pas bien.

ANNE VERCORS

Tu pourras l'attacher au milieu, de peur qu'il ne les perde.

Cela l'aidera à passer le gué de Saponay.

JACQUES HURY

Il ne faut pas être lâche sur son droit.

ANNE VERCORS

Je le sais, ce n'est pas bien!

Jacques, voilà que je suis lâche et vieux, las de combattre et de défendre.

Jadis j'ai été âpre comme toi. Il est un temps de prendre et un temps de laisser prendre.

L'arbre qui fait sa fleur doit être défendu, mais l'arbre couvert de ses fruits, qu'on y aille sans se gêner avec lui.

Soyons injuste en peu de chose, pour que Dieu soit grandement injuste avec moi.

Et d'ailleurs, tu vas faire maintenant ce que tu veux, car c'est toi qui es sur Combernon à ma place.

JACQUES HURY

Que dites-vous?

LA MÈRE

Il s'en va pèlerin à Jérusalem.

JACQUES HURY

Jérusalem?

ANNE VERCORS

Il est vrai. Je pars à cet instant même.

JACQUES HURY

Eh quoi? qu'est-ce que cela veut dire?

ANNE VERCORS

Tu as très bien entendu.

JACQUES HURY

Comme cela, dans le moment du grand travail,
vous nous quittez?

ANNE VERCORS

Il ne faut pas deux chefs à Combernon.

JACQUES HURY

Mon père, je ne suis que votre fils.

ANNE VERCORS

C'est toi qui seras le père ici à ma place.

JACQUES HURY

Je ne vous entends pas.

ANNE VERCORS

Je m'en vais. Tiens Combernon à ma place.
Comme je le tiens de mon père et celui-ci du sien,
Et Radulphe le Franc, premier de notre lignée,
de saint Remy de Rheims.
Qui lui-même de Geneviève de Paris
Tenait cette terre alors païenne toute horrible
de mauvais arbres et d'épines spontanées.
Radulphe et ses enfants l'évangélisèrent avec le
fer et le feu
Et l'exposèrent nue et rompue aux eaux du bap-
tême.
Plaine et colline, ils couvrirent tout de sillons
égaux,
Ainsi qu'un clerc appliqué qui de la parole de
Dieu lève copie ligne à ligne.

Et ils commencèrent Monsanvierge sur la montagne, en ce lieu où le Mauvais était honoré

(Et d'abord ce n'était qu'une cabane de bûches
et de roseaux dont l'Évêque vint sceller la porte,

Et deux recluses y tenaient garde)

Et Combernon à son pied, demeure munie.

Ainsi cette terre est libre que nous tenons de
saint Remy au ciel, payant dîme là-haut pour
cimier à ce vol un instant posé de colombes gémis-
santes.

Car tout se tient en Dieu, aux vivants en Lui
ne cesse pas le fruit de leurs œuvres,

Qui passent et reviennent sur nous à leur temps
en magnifique ordonnance,

Comme sur les moissons diverses l'été, tout le
jour, ces grands nuages qui vont en Allemagne.

Les bêtes ici ne sont jamais malades; les pis, les
puits ne sèchent jamais, le grain est dur comme de
l'or, la paille est raide comme du fer.

Et contre les pillards nous avons des armes, et
les murailles de Combernon, et le roi, notre voisin.

Recueille cette moisson que j'ai semée, comme
moi-même autrefois j'ai rabattu la motte sur le
sillon que mon père avait tracé.

O bon ouvrage de l'agriculture, où le soleil est
comme notre bœuf luisant, et la pluie notre ban-
quier, et Dieu tous les jours au travail notre compagnon, faisant de tous le mieux!

Les autres attendent leur bien des hommes mais
nous le recevons tout droit du ciel même,

Cent pour un, l'épi pour une graine et l'arbre pour un pépin.

Car telle est la justice de Dieu avec nous, et sa mesure à lui dont il nous repaie.

La terre tient au ciel, le corps tient à l'esprit, toutes les choses qu'il a créées ensemble communiquent, toutes à la fois sont nécessaires l'une à l'autre.

Tiens les manches de la charrue à ma place, délivre la terre de ce pain que Dieu lui-même a désiré.

Donne à manger à toutes les créatures, aux hommes et aux animaux, et aux esprits et aux corps, et aux âmes immortelles.

Vous autres, femmes, serviteurs, regardez! Voici le fils de mon choix, Jacques Hury.

Je m'en vais et il demeure à ma place. Obéissez-lui.

JACQUES HURY

Qu'il soit fait à votre volonté.

ANNE VERCORS

Violaine!

Mon enfant née la première à la place de ce fils que je n'ai pas eu!

Héritière de mon nom en qui je vais être donné à un autre!

Violaine, quand tu auras un mari, ne méprise point l'amour de ton père.

Car tu ne peux pas rendre au père ce qu'il t'a donné, quand tu le voudrais.

Tout est égal entre les époux; ce qu'ils ignorent, ils l'acceptent l'un de l'autre dans la foi.

Voici la religion mutuelle, voici cette servitude par qui le sein de la femme se gonfle de lait!

Mais le père voit ses enfants hors de lui et connaît ce qui était en lui déposé. Connais, ma fille, ton père!

L'amour du Père

Ne demande point de retour et l'enfant n'a pas besoin qu'il le gagne ou le mérite;

Comme il était avec lui avant le commencement, il demeure

Son bien et son héritage, son recours, son honneur, son titre, sa justification!

Mon âme ne se sépare point de cette âme que j'ai communiquée.

Ce que j'ai donné ne peut être rendu. Connais seulement que je suis, ô mon enfant, ton père!

Et aucun mâle ne m'est issu. Tout est une femme de ce que j'ai mis au monde,

Rien que cette chose en nous qui donne et qui est donnée.

Et maintenant l'heure est venue pour nous de nous séparer.

VIOLAINE

Père! ne dites point cette chose cruelle!

ANNE VERCORS

Jacques, tu es l'homme que j'aime. Prends-la. Je te donne ma fille Violaine! Ote-lui mon nom.

Aime-la, car elle est nette comme l'or.

Tous les jours de ta vie, comme le pain dont on ne se rassasie pas.

Elle est simple et obéissante, elle est sensible et secrète.

Ne lui fais point de peine et traite-la avec bonté.

Tout est ici à toi, sauf la part qui sera faite à Mara selon que je l'ai arrangé.

JACQUES HURY

Quoi, mon père, votre fille, votre bien...

ANNE VERCORS

Je te donne tout ensemble, selon qu'ils sont à moi.

JACQUES HURY

Mais qui sait si elle veut de moi encore?

ANNE VERCORS

Qui le sait?

> Elle regarde JACQUES et fait oui sans rien dire avec la bouche.

JACQUES HURY

Vous voulez de moi, Violaine?

VIOLAINE

C'est le père qui veut.

JACQUES HURY

Vous voulez bien aussi?

VIOLAINE

Je veux bien aussi.

JACQUES HURY

Violaine!

Comment est-ce que je vais m'arranger avec vous?

VIOLAINE

Songez-y pendant qu'il en est temps encore!

JACQUES HURY

Alors je vous prends de par Dieu et je ne vous lâche plus!

> Il la prend à deux mains.

Je vous tiens pour de bon, votre main et le bras avec, et tout ce qui vient avec le bras.

Parents, votre fille n'est plus à vous! c'est à moi seul!

ANNE VERCORS

Eh bien, ils sont mariés, c'est fait! Que dis-tu, la mère?

LA MÈRE

Je suis bien contente!

> Elle pleure.

ANNE VERCORS

Elle pleure, la femme!

Va! voilà qu'on nous prend nos enfants et que nous resterons seuls.

La vieille femme qui se nourrit d'un peu de lait et d'un petit morceau de gâteau.

Et le vieux aux oreilles pleines de poils blancs comme un cœur d'artichaut.

Que l'on prépare la robe de noces!

Enfants, je ne serai pas là à votre mariage.

VIOLAINE

Quoi, père!

LA MÈRE

Anne!

ANNE VERCORS

Je pars. Maintenant.

VIOLAINE

O père, quoi! avant que nous soyons mariés?

ANNE VERCORS

Il le faut. La mère t'expliquera tout.

Entre MARA.

LA MÈRE

Combien de temps vas-tu rester là-bas?

ANNE VERCORS

Je ne sais. Peu de temps peut-être.
Bientôt je suis de retour.

Silence.

VOIX D'ENFANT AU LOIN :

Compère-loriot!
Qui mange les cesses et qui laisse le noyau!

ANNE VERCORS

Le loriot siffle au milieu de l'arbre rose et doré!
Qu'est-ce qu'il dit? que la pluie de cette nuit a
été comme de l'or pour la terre
Après ces longs jours de chaleur. Qu'est-ce qu'il
dit? il dit qu'il fait bon labourer.

Qu'est-ce qu'il dit encore? qu'il fait beau, que
Dieu est grand, qu'il y a encore deux heures avant
midi.

Qu'est-ce qu'il dit encore, le petit oiseau?

Qu'il est temps que le vieux bonhomme s'en aille
Ailleurs et qu'il laisse le monde à ses affaires.

Jacques, je te laisse mon bien, défends ces
femmes.

JACQUES HURY

Comment, est-ce que vous partez?

ANNE VERCORS

Je crois qu'il n'a rien entendu.

JACQUES HURY

Comme cela, tout de suite?

ANNE VERCORS

Il est l'heure.

LA MÈRE

Tu ne vas pas partir avant que d'avoir mangé?

> Pendant ce temps les servantes ont dressé la grande
> table pour le repas de la ferme.

ANNE VERCORS, à une servante.

Holà, mon sac, mon chapeau!
Apporte mes souliers! apporte mon manteau.

Je n'ai pas le temps de prendre ce repas avec vous.

LA MÈRE

Anne! combien de temps vas-tu rester là-bas? Un an, deux ans? Plus que deux ans?

ANNE VERCORS

Un an. Deux ans. Oui, c'est cela.
Mets-moi mes souliers.

LA MÈRE s'agenouille et lui met ses souliers.

Pour la première fois je te quitte, ô maison!
Combernon, haute demeure!
Veille bien à tout! Jacques sera ici à ma place.
Voilà la cheminée où il y a toujours du feu, voilà la grande table où je donne à manger à mon peuple.
Prenez place tous! une dernière fois je vous partagerai le pain.

Il prend place au bout de la longue table, ayant LA MÈRE à sa droite. Tous les serviteurs et servantes sont debout, chacun à sa place.

Il prend le pain, fait une croix dessus avec le couteau, le coupe et le fait distribuer par VIOLAINE et MARA. Lui-même conserve le dernier morceau.

Puis il se tourne solennellement vers LA MÈRE et lui ouvre les bras.

Adieu, Elisabeth!

LA MÈRE, pleurant, dans ses bras.

Tu ne me reverras plus.

ANNE VERCORS, plus bas.

Adieu, Elisabeth.

> Il se tourne vers MARA et la regarde longuement
> et gravement, puis il lui tend la main.

Adieu, Mara! sois bonne.

MARA, lui baisant la main.

Adieu, père!

> Silence. ANNE VERCORS est debout, regardant
> devant lui, comme s'il ne voyait pas VIOLAINE,
> qui se tient, pleine de trouble, à son côté. A
> la fin il se tourne un peu vers elle et elle lui
> passe les bras autour du cou, la figure contre
> sa poitrine, sanglotant.
> ANNE VERCORS, comme s'il ne s'en apercevait
> pas, aux serviteurs.

Vous tous, adieu!

J'ai toujours été juste pour vous. Si quelqu'un dit le contraire, il ment.

Je ne suis pas comme les autres maîtres. Mais je dis que c'est bien quand il faut, et je réprimande quand il faut.

Maintenant que je m'en vais, faites comme si j'étais là.

Car je reviendrai. Je reviendrai au moment que vous ne m'attendez pas

> Il leur donne à tous la main.

Que l'on amène mon cheval!

Silence.

> Se penchant vers VIOLAINE qui le tient toujours
> embrassé.

Qu'est-ce qu'il y a, petit enfant?
Tu as échangé un mari pour ton père.

VIOLAINE

Hélas! Père! Hélas!

> Il lui défait doucement les mains.

LA MÈRE

Dis quand tu reviendras.

ANNE VERCORS

Je ne puis pas le dire.
Peut-être ce sera le matin, peut-être à midi
quand on mange.
Et peut-être que la nuit, vous réveillant, vous
entendrez mon pas sur la route.
Adieu!

> Il sort.

ACTE II

Quinze jours plus tard. Commencement de juillet. Midi.
Un grand verger complanté régulièrement d'arbres ronds.
   Plus haut, et un peu en retrait, l'enceinte et les tours,
   et les longs bâtiments aux toits de tuiles de Combernon.
   Puis le flanc de la colline abrupte qui s'élève. Et tout en
   haut la formidable arche de pierre de Monsanvierge sans
   aucune ouverture et ses cinq tours dans le type de la
   cathédrale de Laon, et la grande cicatrice blanche à son
   flanc de la brèche par où la Reine Mère de France vient
   de pénétrer.
Tout vibre dans le grand soleil.

        UNE VOIX DE FEMME AU CIEL,
     du haut de la plus haute tour de Monsanvierge.

Salve Regina mater misericordiae
Vita dulcedo et spes nostra salve
Ad te clamamus exsules filii Hevae
Ad te suspiramus gementes et flentes in hac lacry-
marum valle.
   Eia ergo advocata nostra illos tuos misericordes
oculos ad nos converte
   Et Jesum benedictum fructum ventris tui nobis
post hoc exilium ostende
   O clemens

O *pia*
O *dulcis Virgo Maria*

> Longue pause pendant laquelle la scène reste
> vide.

SCÈNE PREMIÈRE

Entrent LA MÈRE et MARA.

MARA

Qu'a-t-elle dit?

LA MÈRE

J'amenais cela tout en allant Tu vois que depuis
quelques jours elle a perdu sa gaieté.

MARA

Elle ne parle jamais tant.

LA MÈRE

Mais elle ne rit plus. Ça me fait de la peine.
C'est peut-être que Jacquin n'est pas là, mais il
revient aujourd'hui.

— Et le père aussi est parti.

MARA

C'est tout ce que tu lui as dit?

LA MÈRE

C'est ce que je lui ai dit, et le reste sans y rien
changer, comme tu me l'as fait réciter :

Jacquin et toi : que tu l'aimes, et tout,
Et que cette fois il ne faut pas être bête et se
laisser faire, ça je l'ai ajouté et je l'ai répété deux
et trois fois;
Et rompre le mariage qui est comme fait, contre
la volonté du père.
Qu'est-ce que les gens donc penseraient?

MARA

Et qu'a-t-elle répondu?

LA MÈRE

Elle s'est mise à rire, et moi, je me suis mise à
pleurer.

MARA

Je la ferai rire!

LA MÈRE

Ce n'est pas le rire que j'aime de ma petite fille,
et moi aussi je me suis mise à pleurer.
Et je disais : « Non, non, Violaine, mon enfant! »
Mais elle de la main sans parler me fit signe
qu'elle voulait être seule.
Ah! qu'on a de mal avec ses enfants!

MARA

Chut!

LA MÈRE

Qu'y a-t-il?
J'ai regret de ce que j'ai fait.

MARA

Bien! — La vois-tu là-bas au fond du clos? Elle marche derrière les arbres. On ne la voit plus.

> Silence. — On entend derrière la scène un appel de cornet.

LA MÈRE

Voilà Jacquin qui revient. Je reconnais le son de sa corne.

MARA

Eloignons-nous.

> Elles sortent.

SCÈNE II

> Entre JACQUES HURY.

JACQUES HURY. Il regarde tout autour de lui.
Je ne la vois pas.
Et cependant elle m'avait fait dire
Qu'elle voulait me voir ce matin même
Ici.

> Entre MARA. — Elle s'avance vers JACQUES et à six pas lui fait une révérence cérémonieuse.

JACQUES HURY

Bonjour, Mara!

MARA

Monseigneur, votre servante!

JACQUES HURY

Quelle est cette grimace?

MARA

Ne vous dois-je point hommage? n'êtes-vous pas
le maître céans, ne relevant que de Dieu seul,
comme le Roi de France lui-même et l'Empereur
Charlemagne?

JACQUES HURY

Raillez, mais cela est vrai tout de même! Oui,
Mara, c'est beau! Chère sœur je suis trop heureux!

MARA

Je ne suis pas votre *chère sœur!* Je suis votre
servante puisqu'il le faut.
Homme de Braine! fils de la terre serve! je ne
suis pas votre sœur, vous n'êtes pas de notre sang!

JACQUES HURY

Je suis l'époux de Violaine.

MARA

Vous ne l'êtes pas encore.

JACQUES HURY

Je le serai demain.

MARA

Qui sait?

JACQUES HURY

Mara, j'y ai mûrement pensé

Et je crois que vous avez rêvé cette histoire que
vous m'avez racontée l'autre jour.

MARA

Quelle histoire?

JACQUES HURY

Ne faites point l'étonnée.
Cette histoire du maçon, ce baiser clandestin au
point du jour.

MARA

C'est possible. J'ai mal vu. J'ai de bons yeux
pourtant.

JACQUES HURY

Et l'on m'a dit tout bas que l'homme est lépreux!

MARA

Je ne vous aime pas, Jacques.
Mais vous avez le droit de tout savoir. Il faut
que tout soit net et clair à Monsanvierge qui est
en montrance sur tout le Royaume.

JACQUES HURY

Tout cela sera tiré à jour en ce moment.

MARA

Vous êtes fin et rien ne vous échappe.

JACQUES HURY

Je vois du moins que vous ne m'aimez pas.

MARA

Là! Là! Que disais-je? que disais-je?

JACQUES HURY

Tout le monde ici n'est pas de votre sentiment.

MARA

Vous parlez de Violaine? Je rougis de cette petite fille.

Il est honteux de se donner ainsi,

Ame, chair, cœur, peau, le dessus, le dedans et la racine.

JACQUES HURY

Je sais qu'elle est entièrement à moi.

MARA

Oui.

Comme il dit bien cela! comme il est sûr de ces choses qui sont à lui! Brainard de Braine!

Ces choses seules sont à soi que l'on a faites, ou prises, ou gagnées.

JACQUES HURY

Mais moi, Mara, vous me plaisez et je n'ai rien contre vous.

MARA

Comme tout ce qui est d'ici sans doute?

JACQUES HURY

Ce n'est pas ma faute que vous ne soyez pas un homme et que je vous prenne votre bien!

MARA

Qu'il est fier et content! Regardez-le qui ne peut se tenir de rire!

Allons! ne vous faites point de mal! riez!

Il rit.

Je connais bien votre figure, Jacques.

JACQUES HURY

Vous êtes fâchée de ne pouvoir me faire de la peine.

MARA

Comme l'autre jour pendant que le père parlait, Riant d'un œil et pleurant sec de l'autre.

JACQUES HURY

Ne suis-je pas maître d'un beau domaine?

MARA

Et le père était vieux, n'est-ce pas? Vous savez une chose ou deux de plus que lui?

JACQUES HURY

A chaque homme son temps.

MARA

C'est vrai, Jacques, vous êtes un grand beau jeune homme.

Le voilà qui devient tout rouge.

JACQUES HURY

Ne me tourmentez pas.

MARA

Tout de même, c'est dommage!

JACQUES HURY

Qu'est-ce qui est dommage?

MARA

Adieu, époux de Violaine! Adieu, maître de Monsanvierge, ah ah!

JACQUES HURY

Je vous ferai voir que je le suis.

MARA

Prenez l'esprit d'ici alors, Brainard de Braine!

Il croit que tout est à lui comme un paysan, on vous fera voir le contraire!

Comme un paysan qui est à lui tout seul ce qu'il y a de plus haut au milieu de son petit champ tout plat!

Mais Monsanvierge est à Dieu et le maître de Monsanvierge est l'homme de Dieu, qui n'a rien

A lui, ayant tout reçu pour un autre.

C'est la leçon qu'on nous fait ici de père en enfant. Il n'y a pas de place plus altière que la nôtre.

Prenez l'esprit de vos maîtres, vilain!

Fausse sortie.

Ah!

Violaine que j'ai rencontrée

M'a chargée d'un message pour vous.

JACQUES HURY

Que ne le disiez-vous plus tôt?

MARA

Elle vous attend près de la fontaine.

SCÈNE III

La fontaine de l'Adoue. C'est un grand trou carré dans une
paroi verticale de blocs calcaires. Un mince filet d'eau s'en
échappe avec un bruit mélancolique. On voit suspendus
à la muraille des croix de paille et des bouquets de fleurs
desséchées, EX-VOTO.
Elle est entourée d'arbres épais et de rosiers formant ber-
ceau dont les fleurs abondantes éclatent sur la verdure.

JACQUES HURY

> Il regarde qui vient par le sentier sinueux VIO-
> LAINE toute dorée qui par moments resplendit
> sous le soleil entre les feuilles.

O ma fiancée à travers les branches en fleurs,
salut!

> VIOLAINE entre et se tient devant lui. Elle est
> vêtue d'une robe de lin et d'une espèce de
> dalmatique en drap d'or décoré de grosses fleurs
> rouges et bleues. La tête est couronnée d'une
> espèce de diadème d'émaux et d'orfèvrerie.

Violaine, que vous êtes belle!

VIOLAINE

Jacques! Bonjour, Jacques!
Ah! que vous êtes resté longtemps là-bas!

JACQUES HURY

Il me fallait tout dégager et vendre, me rendre
entièrement libre
Afin d'être l'homme de Monsanvierge seul

Et le vôtre.

Quel est ce costume merveilleux?

VIOLAINE

Je l'ai mis pour vous. Je vous en avais parlé. Ne le reconnaissez-vous pas?

C'est le costume des moniales de Monsanvierge, à peu près, moins le manipule seul, le costume qu'elles portent au chœur,

La dalmatique du diacre qu'elles ont privilège de porter, quelque chose du prêtre, elles-mêmes hosties,

Et que les femmes de Combernon ont le droit de revêtir deux fois :

Premièrement le jour de leurs fiançailles,

Secondement de leur mort.

JACQUES HURY

Il est donc vrai, c'est le jour de nos fiançailles, Violaine?

VIOLAINE

Jacques, il est encore temps, nous ne sommes pas mariés encore!

Si vous n'avez voulu que faire plaisir à mon père, il est temps de vous reprendre encore, c'est de nous qu'il s'agit. Dites un mot seulement; je ne vous en voudrai pas, Jacques.

Car il n'y a pas encore de promesses entre nous deux et je ne sais si je vous plais encore.

JACQUES HURY

Que vous êtes belle, Violaine! Et que ce monde est beau où vous êtes

Cette part qui m'avait été réservée!

VIOLAINE

C'est vous, Jacques, qui êtes ce qu'il y a de meilleur au monde.

JACQUES HURY

Est-il vrai que vous acceptez d'être à moi?

VIOLAINE

Oui, c'est vrai, bonjour, mon bien-aimé! Je suis à vous.

JACQUES HURY

Bonjour, ma femme! bonjour, douce Violaine!

VIOLAINE

Ce sont des choses bonnes à entendre, Jacques!

JACQUES HURY

Il ne faudra plus jamais cesser d'être là! Dites que vous ne cesserez plus jamais d'être la même et l'ange qui m'est envoyé!

VIOLAINE

A jamais ce qui est à moi cela ne cessera pas d'être vôtre.

JACQUES HURY

Et quant à moi, Violaine...

VIOLAINE

Ne dites rien. Je ne vous demande rien. Vous êtes là et cela me suffit.
Bonjour, Jacques!

Ah, que cette heure est belle et je n'en demande
point d'autre.

JACQUES HURY

Demain sera plus beau encore!

VIOLAINE

Demain j'aurai quitté le vêtement magnifique.

JACQUES HURY

Mais vous serez si près de moi que je ne vous
verrai plus.

VIOLAINE

Bien près de vous en effet!

JACQUES HURY

Ta place est faite.
Violaine, que ce lieu est solitaire et que l'on y
est en secret avec toi!

VIOLAINE, tout bas.

Ton cœur suffit. Va, je suis avec toi et ne dis pas
un mot.

JACQUES HURY

Mais demain aux yeux de tous je prendrai cette
Reine entre mes bras.

VIOLAINE

Prends-la et ne la laisse pas aller.
Ah prenez votre petite avec vous qu'on ne la
retrouve plus et qu'on ne lui fasse aucun mal!

JACQUES HURY

Et vous ne regretterez point à ce moment le lin et l'or?

VIOLAINE

Ai-je eu tort de me faire belle pour une pauvre petite heure?

JACQUES HURY

Non, mon beau lys, je ne puis me lasser de te considérer dans ta gloire!

VIOLAINE

O Jacques! dites encore que vous me trouvez belle!

JACQUES HURY

Oui, Violaine!

VIOLAINE

La plus belle de toutes les femmes et les autres ne sont rien pour vous?

JACQUES HURY

Oui, Violaine!

VIOLAINE

Et que vous m'aimez uniquement comme l'époux le plus tendre aime le pauvre être qui s'est donné à lui?

JACQUES HURY

Oui, Violaine.

VIOLAINE

Qui se donne à lui de tout son cœur, Jacques
croyez-le, et qui ne réserve rien.

JACQUES HURY

Et vous, Violaine, ne me croyez-vous donc pas?

VIOLAINE

Je vous crois, je vous crois, Jacques! je crois en
vous! J'ai confiance en vous, mon bien-aimé!

JACQUES HURY

Pourquoi donc cet air d'inquiétude et d'effroi?
Montrez-moi votre main gauche.

Elle la montre.

Mon anneau n'y est plus.

VIOLAINE

Je vous expliquerai cela tout à l'heure, vous serez
satisfait.

JACQUES HURY

Je le suis, Violaine. J'ai foi en vous.

VIOLAINE

Je suis plus qu'un anneau, Jacques. Je suis un
grand trésor.

JACQUES HURY

Oui, Violaine.

VIOLAINE

Ah, si je me donne à vous,
Ne saurez-vous pas préserver votre petite qui vous
aime?

JACQUES HURY

Voilà que vous doutez de moi encore!

VIOLAINE

Jacques! Après tout je ne fais aucun mal en vous aimant. C'est la volonté de Dieu et de mon père.

C'est vous qui avez charge de moi! Et qui sait si vous ne saurez pas bien me défendre et me préserver?

Il suffit que je me donne à vous complètement. Et le reste est votre affaire et non plus la mienne.

JACQUES HURY

Et c'est ainsi que vous vous êtes donnée à moi, ma fleur-de-soleil?

VIOLAINE

Oui, Jacques.

JACQUES HURY

Qui donc vous prendra d'entre mes bras?

VIOLAINE

Ah, que le monde est grand et que nous y sommes seuls!

JACQUES HURY

Pauvre enfant! je sais que votre père est parti.

Et moi aussi je n'ai plus personne avec moi pour me dire ce qu'il faut faire et ce qui est bien et mal.

Il faudra que vous m'aidiez, Violaine, comme je vous aime.

VIOLAINE

Mon père m'a abandonnée.

JACQUES HURY

Mais moi, Violaine, je vous reste.

VIOLAINE

Ni ma mère ne m'aime ni ma sœur, bien que je
ne leur aie fait aucun mal.

Et il ne me reste plus que ce grand homme terrible que je ne connais pas.

> Il fait le geste de la prendre dans ses bras. Elle
> l'écarte vivement.

Ne me touchez pas, Jacques!

JACQUES HURY

Suis-je donc un lépreux?

VIOLAINE

Jacques, je veux vous parler, ah! que c'est difficile!

Ne me manquez point, qui n'ai plus que vous
seul!

JACQUES HURY

Qui vous veut aucun mal?

VIOLAINE

Sachez ce que vous faites en me prenant pour
femme!

Laissez-moi vous parler bien humblement, seigneur Jacques

Qui allez recevoir mon âme et mon corps en
commande des mains de Dieu et de mon père qui
les ont faits.

Et sachez la dot que je vous apporte qui n'est
point celle des autres femmes,

Mais cette sainte montagne en prière jour et nuit
devant Dieu, comme un autel toujours fumant,

Et cette lampe toujours allumée dont notre
charge est de nourrir l'huile.

Et témoin n'est à notre mariage aucun homme,
mais ce Seigneur dont nous tenons seul le fief,

Qui est le Tout-Puissant, le Dieu des Armées.

Et ce n'est point le soleil de juillet qui nous
éclaire, mais la lumière même de Sa face.

Aux saints les choses saintes! Qui sait si notre
cœur est pur?

Jamais le mâle jusqu'ici n'avait manqué à notre
race, toujours le sacré dépôt avait été transmis de
père en fils,

Et voici que pour la première fois il tombe aux
mains d'une femme et qu'il devient objet de
convoitise avec elle.

JACQUES HURY

Violaine, non, je ne suis clerc, ni moine ni béat.

Je ne suis pas le tourier et le convers de Monsanvierge.

J'ai une charge et je la remplirai

Qui est de nourrir ces oiseaux murmurants

Et de remplir ce panier qu'on descend du ciel
chaque matin.

C'est écrit. C'est bien.

J'ai bien compris cela et me le suis mis dans la tête, et il ne faut pas m'en demander davantage.

Il ne faut pas me demander de comprendre ce qui est par-dessus moi et pourquoi ces saintes femmes se sont murées là-haut dans ce pigeonnier.

Aux célestes le ciel, et la terre aux terrestres.

Car le blé ne pousse pas tout seul et il faut un bon laboureur à celui d'ici.

Et cela, je peux dire sans me vanter que je le suis, et personne ne m'apprendra rien, ni votre père lui-même peut-être.

Car il était ancien et attaché à ses idées.

A chacun sa place, en cela est la justice.

Et votre père en vous donnant à moi

Ensemble avec Monsanvierge, a su ce qu'il faisait et cela était juste.

VIOLAINE

Mais moi, Jacques, je ne vous aime pas parce que cela est juste.

Et même si cela ne l'était pas, je vous aimerais encore et plus.

JACQUES HURY

Je ne vous comprends pas, Violaine.

VIOLAINE

Jacques, ne me forcez pas à parler! Vous m'aimez tant et je ne puis vous faire que du mal.

Laissez-moi! il ne peut y avoir de justice entre

nous deux! mais la foi seulement et la charité.
Eloignez-vous de moi quand il est encore temps.

JACQUES HURY

Je ne comprends pas, Violaine.

VIOLAINE

Mon bien-aimé, ne me forcez pas à vous dire
mon grand secret.

JACQUES HURY

Un grand secret, Violaine?

VIOLAINE

Si grand que tout est consommé et vous ne
demanderez pas de m'épouser davantage.

JACQUES HURY

Je ne vous comprends pas.

VIOLAINE

Ne suis-je pas assez belle en ce moment, Jacques?
Que me demandez-vous encore?

Que demande-t-on d'une fleur

Sinon qu'elle soit belle et odorante une minute,
pauvre fleur, et après ce sera fini.

La fleur est courte, mais la joie qu'elle a donnée
une minute

N'est pas de ces choses qui ont commencement
ou fin.

Ne suis-je pas assez belle? Manque-t-il quelque
chose? Ah! je vois tes yeux, mon bien-aimé! est-ce

qu'il n'y a rien en toi qui en ce moment ne m'aime
et qui doute de moi?

Est-ce que mon âme n'est pas assez? prends-la
et je suis encore ici et aspire-la jusques aux racines
qui est à toi!

Il suffit d'un moment pour mourir, et la mort
même l'un dans l'autre

Ne vous anéantira pas plus que l'amour, et est-ce
qu'il y a besoin de vivre quand on est mort?

Que veux-tu faire de moi davantage? fuis, éloigne-
toi! Pourquoi veux-tu m'épouser? pourquoi veux-tu

Prendre pour toi ce qui est à Dieu seul?

La main de Dieu est sur moi et tu ne peux me
défendre!

O Jacques; nous ne serons pas mari et femme en
ce monde!

JACQUES HURY

Violaine, quelles sont ces paroles étranges, si
tendres, si amères? par quels sentiers insidieux et
funestes me conduisez-vous?

Je crois que vous voulez m'éprouver et vous
jouer de moi qui suis un homme simple et rude.

Ah, Violaine, que vous êtes belle ainsi! et cependant j'ai peur et je vous vois dans ce vêtement qui
m'effraie!

Car ce n'est point la parure d'une femme, mais
le vêtement du Sacrificateur à l'autel,

De celui qui aide le prêtre, laissant le flanc décou-
vert et les bras libres!

Ah! je le vois, c'est l'esprit de Monsanvierge qui

vit en vous et la fleur suprême en dehors de ce
jardin scellé!

Ah! ne tourne pas vers moi ce visage qui n'est
plus de ce monde! ce n'est plus ma chère Violaine.

Assez d'anges servent la messe au ciel!

Ayez pitié de moi qui suis un homme sans ailes
et je me réjouissais de ce compagnon que Dieu
m'avait donné, et que je l'entendais soupirer, la
tête sur mon épaule!

Doux oiseau! le ciel est beau, mais c'est une belle
chose aussi que d'être pris!

Et le ciel est beau! mais c'est une belle chose
aussi et digne de Dieu même, un cœur d'homme
que l'on remplit sans en rien laisser vide.

Ne me damnez pas par la privation de votre
visage!

Et sans doute que je suis un homme sans lumière
et sans beauté

Mais je vous aime, mon ange, ma reine, ma
chérie!

VIOLAINE

Ainsi je vous ai vainement averti et vous voulez
me prendre pour femme, et vous ne vous laisserez
pas écarter de votre dessein?

JACQUES HURY

Oui, Violaine.

VIOLAINE

Qui a pris une épouse, ils ne sont plus qu'une
âme en une seule chair et rien ne les séparera plus.

JACQUES HURY

Oui, Violaine.

VIOLAINE

Vous le voulez!

Il ne convient donc plus que je réserve rien et que je garde pour moi davantage

Ce grand, cet ineffable secret.

JACQUES HURY

Encore, ce secret, Violaine?

VIOLAINE

Si grand, Jacques, en vérité

Que votre cœur en sera rassasié,

Et que vous ne me demanderez plus rien,

Et que nous ne serons plus jamais arrachés l'un à l'autre.

Une communication si profonde

Que la vie, Jacques, ni l'enfer, ni le ciel même

Ne la feront plus cesser, ni ne feront cesser à jamais ce

Moment où je vous l'ai révélé dans la

Fournaise de ce terrible soleil ici présent qui nous empêchait presque de nous voir le visage!

JACQUES HURY

Parle donc!

VIOLAINE

Mais dites-moi d'abord une fois encore que vous m'aimez.

JACQUES HURY

Je vous aime!

VIOLAINE

Et que je suis votre dame et votre seul amour?

JACQUES HURY

Ma dame, mon seul amour.

VIOLAINE

Dis, Jacques, ni mon visage ni mon âme ne t'ont suffi et ce n'est pas assez?

Et toi aussi, t'es-tu laissé prendre à mes hautes paroles? Connais le feu dont je suis dévorée!

Connais-la donc, cette chair que tu as tant aimée! Venez plus près de moi.

Mouvement.

Plus près! plus près encore! tout contre mon côté. Asseyez-vous sur ce banc.

Silence.

Et donnez-moi votre couteau.

> Il lui donne son couteau. Elle fait une incision dans l'étoffe de lin sur son flanc, à la place qui est sur le cœur et sous le sein gauche, et, penchée sur lui, des mains écartant l'ouverture, elle lui montre sa chair où la première tache de lèpre apparaît. Silence.

JACQUES HURY, *détournant un peu le visage.*

Donnez-moi le couteau.

> Elle le lui donne. Silence. Puis JACQUES s'éloigne de quelques pas, le dos à demi tourné, et il ne la regardera plus jusqu'à la fin de l'acte.

JACQUES HURY

Violaine, je ne me suis pas trompé? Quelle est cette fleur d'argent dont votre chair est blasonnée?

VIOLAINE

Vous ne vous êtes pas trompé?

JACQUES HURY

C'est le mal? c'est le mal, Violaine?

VIOLAINE

Oui, Jacques.

JACQUES HURY

La lèpre!

VIOLAINE

Certes vous êtes difficile à convaincre.
Et il vous faut avoir vu pour croire.

JACQUES HURY

Et quelle est la lèpre la plus hideuse,
Celle de l'âme ou celle sur le corps?

VIOLAINE

Je ne puis rien dire de l'autre. Je ne connais que celle du corps qui est un mal assez grand.

JACQUES HURY

Non, tu ne connais pas l'autre, réprouvée?

VIOLAINE

Je ne suis pas une réprouvée.

JACQUES HURY

Infâme, réprouvée,
Réprouvée dans ton âme et dans ta chair!

VIOLAINE

Ainsi, vous ne demandez plus à m'épouser, Jacques?

JACQUES HURY

Ne te moque point, fille du diable!

VIOLAINE

Tel est ce grand amour que vous aviez pour moi.

JACQUES HURY

Tel est ce lys que j'avais élu.

VIOLAINE

Tel est l'homme qui est à la place de mon père.

JACQUES HURY

Tel est l'ange que Dieu m'avait envoyé.

VIOLAINE

« Ah, qui nous arrachera l'un à l'autre? Je t'aime, Jacques, et tu me défendras, et je sais que je n'ai rien à craindre entre tes bras. »

JACQUES HURY

Ne te moque point avec ces paroles affreuses!

VIOLAINE

Dis,
Ai-je manqué à ma parole? Mon âme ne te suffisait point? As-tu assez de ma chair à présent?
Oublieras-tu ta Violaine désormais et ce cœur qu'elle t'a révélé?

JACQUES HURY

Eloigne-toi de moi!

VIOLAINE

Va, je suis assez loin, Jacques, et tu n'as rien à craindre.

JACQUES HURY

Oui, oui,
Plus loin que tu ne l'as été de ton porc ladre!
Ce faiseur d'os à la viande gâtée.

VIOLAINE

C'est de Pierre de Craon que vous parlez?

JACQUES HURY

C'est de lui que je parle, que vous avez baisé sur la bouche.

VIOLAINE

Et qui vous a raconté cela?

JACQUES HURY

Mara vous a vus de ses yeux.
Et elle m'a tout dit, comme c'était son devoir,
Et moi, misérable, je ne la croyais pas!
Allons, dis-le! mais dis-le donc! c'est vrai? dis que c'est vrai!

VIOLAINE

C'est vrai, Jacques.
Mara dit toujours la vérité.

JACQUES HURY

Et il est vrai que vous l'avez embrassé sur le visage?

VIOLAINE

C'est vrai.

JACQUES HURY

O damnée! les flammes de l'enfer ont-elles tant
de goût que vous les ayez ainsi convoitées toutes
vivantes?

VIOLAINE, très bas.

Non point damnée.

Mais douce, douce Violaine! douce, douce Violaine!

JACQUES HURY

Et vous ne niez point que cet homme ne vous ait
eue et possédée?

VIOLAINE

Je ne nie rien, Jacques.

JACQUES HURY

Mais je t'aime encore, Violaine! Ah, cela est
trop cruel! Dis quelque chose, si tu as rien à dire
et je le croirai! Parle, je t'en supplie! dis-moi que
cela n'est pas vrai!

VIOLAINE

Je ne puis pas devenir toute noire en un instant,
Jacques, mais dans quelques mois déjà, quelques
mois encore,

Vous ne me reconnaîtrez plus.

JACQUES HURY

Dites-moi que tout cela n'est pas vrai.

VIOLAINE

Mara dit toujours la vérité et cette fleur aussi sur moi que vous avez vue.

JACQUES HURY

Adieu, Violaine!

VIOLAINE

Adieu, Jacques.

JACQUES HURY

Dites, qu'allez-vous faire, misérable?

VIOLAINE

Quitter ces vêtements. Quitter cette maison. Accomplir la loi. Me montrer au prêtre. Gagner...

JACQUES HURY

Eh bien?

VIOLAINE

... Le lieu qui est réservé aux gens de mon espèce. La ladrerie là-bas du Géyn.

JACQUES HURY

Quand cela?

VIOLAINE

Aujourd'hui. Ce soir même.

Long silence.

Il n'y a pas autre chose à faire.

JACQUES HURY

Il faut éviter le scandale. Allez vous dévêtir et prendre une robe de voyage, et je vous dirai ce qu'il est convenable de faire.

Ils sortent.

SCÈNE IV

La salle du premier acte.

LA MÈRE

Le temps est toujours au beau. Voici huit jours qu'il n'a plu.

Elle écoute.

On entend de temps en temps les cloches d'Arcy.
Dong!   Dong!
Qu'il fait chaud et que tout est énorme!
Que fait Violaine? et Jacques! qu'ont-ils à causer si longtemps?
J'ai regret de ce que je lui ai dit.

Elle soupire.

Et que fait le vieux fou? Où est-il maintenant? Ah!

Elle penche la tête.

MARA, entrant vivement.

Ils viennent ici. Je pense que le mariage est rompu. M'entends-tu?
Tais-toi,
Et ne va pas rien dire.

LA MÈRE

Comment?
O méchante! vilaine! tu as obtenu ce que tu voulais!

MARA

Laisse faire. Ce n'est qu'un moment. D'aucune façon

Ça ne se serait fait. Puisque c'est moi donc

Qu'il doit épouser et non pas elle. Cela sera mieux pour elle mêmement. Il faut que cela soit ainsi. Entends-tu?

Tais-toi!

LA MÈRE

Qui t'a dit cela?

MARA

Est-ce que j'ai besoin qu'on me dise quelque chose? J'ai tout vu en plein dans leurs figures. Je les ai chopés tout chauds. J'ai tout débrouillé en rien-temps.

Et Jacques, le pauvre homme, il me fait pitié.

LA MÈRE

J'ai regret de ce que j'ai dit!

MARA

Tu n'as rien dit, tu ne sais rien, tais-toi!

Et s'ils te disent, quelque chose n'importe quoi qu'ils te racontent,

Dis comme eux, fais ce qu'ils voudront. Il n'y a plus rien à faire.

LA MÈRE

J'espère que tout est pour le mieux.

SCÈNE V

Entrent JACQUES HURY, puis VIOLAINE tout en noir,
habillée comme pour un voyage.

LA MÈRE

Qu'est-ce qu'il y a, Jacques? Qu'est-ce qu'il y a,
Violaine?

Pourquoi est-ce que tu as mis ce costume
comme si tu allais partir?

VIOLAINE

Je vais partir aussi.

LA MÈRE

Partir? Partir toi aussi?

Jacques! que s'est-il passé entre vous?

JACQUES HURY

Il ne s'est rien passé.

Mais vous savez que je suis allé voir ma mère
à Braine et j'en reviens à l'heure même.

LA MÈRE

Eh bien?

JACQUES HURY

Vous savez qu'elle est vieille et infirme.

Elle dit qu'elle veut voir et bénir

Sa bru avant de mourir.

LA MÈRE

Ne peut-elle attendre le mariage?

JACQUES HURY

Elle est malade, elle ne peut attendre.

Et ce temps de la moisson aussi où il y a tant
à faire,

N'est pas celui de se marier.

Nous avons causé de cela tout à l'heure, Violaine et moi, tout à l'heure bien gentiment.

Et nous avons décidé qu'il était préférable d'attendre

L'automne.

Jusque-là elle sera à Braine chez ma mère.

LA MÈRE

C'est toi qui le veux ainsi, Violaine?

VIOLAINE

Oui, mère.

LA MÈRE

Mais quoi! est-ce que tu veux partir aujour-
d'hui même?

VIOLAINE

Ce soir même.

JACQUES HURY

C'est moi qui l'accompagnerai.

Le temps presse et l'ouvrage aussi en ce mois
de foin et de moisson. Je ne suis déjà resté que
trop longtemps absent.

LA MÈRE

Reste, Violaine! Ne t'en va pas de chez nous,
toi aussi!

VIOLAINE

Ce n'est que pour un peu de temps mère!

LA MÈRE

Un peu de temps, tu le promets?

JACQUES HURY

Un peu de temps, et quand viendra l'automne,
La voici avec nous de nouveau, pour ne plus
nous quitter.

LA MÈRE

Ah, Jacques! Pourquoi la laissez-vous partir?

JACQUES HURY

Croyez-vous que cela ne me soit pas dur?

MARA

Mère, ce qu'ils disent tous les deux est raison-
nable.

LA MÈRE

Il est dur de voir mon enfant me quitter.

VIOLAINE

Ne soyez pas triste, mère!
Qu'importe que nous attendions quelques jours?
Ce n'est qu'un peu de temps à passer.

Ne suis-je pas sûre de votre affection? et de celle de Mara? et de celle de Jacques, mon fiancé?

Jacques, n'est-ce pas? Il est à moi comme je suis à lui et rien ne peut nous séparer! Regardez-moi, cher Jacques. Voyez-le qui pleure de me voir partir!

Ce n'est point le moment de pleurer, mère! ne suis-je pas jeune et belle, et aimée de tous?

Mon père est parti, il est vrai, mais il m'a laissé l'époux le plus tendre, l'ami qui jamais ne m'abandonnera.

Ce n'est donc point le moment de pleurer, mais de se réjouir. Ah, chère mère, que la vie est belle et que je suis heureuse!

MARA

Et vous, Jacques, que dites-vous? Vous n'avez pas un air joyeux.

JACQUES HURY

N'est-il pas naturel que je sois triste?

MARA

Sus! ce n'est qu'une séparation de quelques mois.

JACQUES HURY

Trop longue pour mon cœur.

MARA

Ecoute, Violaine, comme il a bien dit ça!

Eh quoi, ma sœur, si triste vous aussi? Souriez-moi de cette bouche charmante! Levez ces yeux

bleus que notre père aimait tant. Voyez, Jacques!
Regardez votre femme, qu'elle est belle quand elle
sourit!

On ne vous la prendra pas! qui serait triste
quand il a pour éclairer sa maison ce petit soleil?

Aimez-nous-la bien, méchant homme! Dites-lui
de prendre courage.

JACQUES HURY

Courage, Violaine!

Vous ne m'avez pas perdu, nous ne sommes pas
perdus l'un pour l'autre!

Voyez que je ne doute pas de votre amour, est-ce
que vous doutez du mien davantage?

Est-ce que je doute de vous, Violaine? est-ce que
je ne vous aime pas, Violaine? Est-ce que je ne
suis pas sûr de vous,

Violaine?

J'ai parlé de vous à ma mère, songez qu'elle est
si heureuse de vous voir.

Il est dur de quitter la maison de vos parents.
Mais où vous serez vous aurez un abri sûr et que
nul n'enfreindra.

Ni votre amour ni votre innocence, chère Violaine, n'ont à craindre.

LA MÈRE

Ce sont des paroles bien aimables.

Et cependant il y a en elles, et dans celle que
tu viens de me dire, mon enfant,

Je ne sais quoi d'étrange et qui ne me plaît pas.

MARA

Je ne vois rien d'étrange, ma mère.

LA MÈRE

Violaine! si je t'ai fait de la peine tout à l'heure, mon enfant,
Oublie ce que je t'ai dit.

VIOLAINE

Vous ne m'avez point fait de peine.

LA MÈRE

Laisse-moi donc t'embrasser.

Elle lui ouvre les bras.

VIOLAINE

Non, mère.

LA MÈRE

Eh quoi?

VIOLAINE

Non.

MARA

Violaine, c'est mal! as-tu peur que nous te touchions? pourquoi nous traites-tu ainsi comme des lépreux?

VIOLAINE

J'ai fait un vœu.

MARA

Quel vœu?

VIOLAINE

Que nul ne me touche.

MARA

Jusqu'à ton retour ici?

Silence. Elle baisse la tête.

JACQUES HURY

Laissez-la. Vous voyez qu'elle a de la peine.

LA MÈRE

Eloignez-vous un instant.

Ils s'éloignent.

Adieu, Violaine!

Tu ne me tromperas pas, mon enfant, tu ne tromperas pas la mère qui t'a faite.

Ce que je t'ai dit est dur, mais vois-moi qui ai bien de la peine, qui suis vieille.

Toi, tu es jeune et tu oublieras.

Mon homme est parti et voici mon enfant qui se détourne de moi.

La peine qu'on a n'est rien, mais celle qu'on a faites aux autres

Empêche de manger son pain.

Songe à cela, mon agneau sacrifié, et dis-toi : Ainsi je n'ai fait de la peine à personne.

Je t'ai conseillé ce que j'ai cru le meilleur! ne m'en veuille pas, Violaine, sauve ta sœur, est-ce qu'il faut la laisser se perdre?

Et voici le Bon Dieu avec toi qui est ta récompense.

C'est tout. Tu ne reverras plus ma vieille figure.
Que Dieu soit avec toi!

Et tu ne veux pas m'embrasser, mais je puis au
moins te bénir, douce, douce Violaine!

VIOLAINE

Oui, mère! oui, mère!

> Elle s'agenouille, et LA MERE fait le signe de la
> croix au-dessus d'elle.

JACQUES HURY, revenant.

Venez, Violaine, il est temps.

MARA

Va et prie pour nous.

VIOLAINE, criant.

Je te donne mes robes, Mara, et toutes mes
affaires!

N'aie pas peur, tu sais que je n'y ai pas touché.
Je ne suis pas entrée dans cette chambre.

Ah, ah! ma pauvre robe de mariée qui était
si jolie!

> Elle écarte les bras comme pour chercher un
> appui. Tous demeurent éloignés d'elle. Elle sort
> en chancelant suivie de JACQUES.

ACTE III

SCÈNE PREMIÈRE

Le pays de Chevoche. Une grande forêt aux arbres clairse-
més, composée principalement de chênes très élevés et de
bouleaux, avec, au-dessous, des pins, des sapins et quelques houx. Une large percée rectiligne vient d'être prati-
quée au travers du bois jusqu'à l'horizon. Des ouvriers
achèvent d'enlever les troncs d'arbres et de préparer la
chaussée. Campement sur le côté, avec huttes en fagots,
le feu et la marmite, etc. Il se trouve dans une sablonnière où quelques ouvriers achèvent de charger de sable
fin et blanc une petite charrette. Un apprenti de Pierre
de Craon les surveille, accroupi dans les genêts secs.

De part et d'autre de la nouvelle route on voit deux espèces
de colosses faits de fagots, avec une collerette et une sou-
quenille de toile blanche, ayant une croix rouge sur la
poitrine, un tonneau pour tête dont les bords sont décou-
pés en dents de scie comme pour faire une couronne, avec
une sorte de visage grossièrement peint en rouge; une
longue trompette s'adapte à la bonde, maintenue par une
planche comme par un bras.

Tombée du jour. Neige par terre et ciel de neige.

C'est la veille de Noël.

LE MAIRE DE CHEVOCHE

Voilà. Le Roi peut venir.

UN OUVRIER

I peut venir à c't'heure. Nous ons bin fait **not'** part.

LE MAIRE DE CHEVOCHE, regardant avec satisfaction.

C'est moult beau! Aussi que tout le monde s'y est mis, tant qu'y en a, les hommes, les femmes et les tiots enfants,

Et que c'était la plus sale partie avec toutes ces mauvaisetés et ces éronces, et le marais.

C'est pas les malins de Bruyères qui nous ont fait la barbe.

UN OUVRIER

C'est leut' chemin qu'en a, de la barbe, et les dents'core avec tous ces chicots, qu'ils ont laissés!

Ils rient.

L'APPRENTI, pédantesquement, d'une voix affreusement aigre et glapissante.

Vox clamantis in deserto : Parate vias Domini et erunt prava in directa et aspera in vias planas.
— C'est vrai que vous avez bien travaillé. Je vous félicite, bonnes gens. C'est comme chemin de la Fête-Dieu.

Montrant les Géants.

Et quelles sont, Messieurs, ces deux belles et révérendes personnes?

UN OUVRIER

Sont-i pas bin beaux? C'est l'pé Vincent, le vieil ivrogne, qu'les a faits.

I dit qu'c'est le grand Roi d'Abyssinie et sa femme Bellotte.

L'APPRENTI

Pour moi je croyais que c'était Gog et Magog.

LE MAIRE DE CHEVOCHE

C'est les deux Anges de Chevoche qui viennent saluer le Roi leur sire.

On y boutera le feu quand i passera.

Ecoutez!

Ils écoutent tous.

UN OUVRIER

Oh! non, ce n'est pas encore lui. On entendrait les cloches de Bruyères sonner.

UN AUTRE

I ne sera pas ici avant minuit. Il a soupé à Fismes.

UN AUTRE

On s'ra bin ici pour voir. Je n'bouge mie.

UN AUTRE

T'as à manger, Perrot? J'ai pus qu'un morceau de pain qu'est tout gelé.

LE MAIRE

N'aie pas peur. Y a un quartier de porc dans la marmite; et des crépinettes, et le chevreuil qu'on a tué;

Et trois aunes de boudin, et des pommes, et un bon petit tonneau de vin de la Marne.

L'APPRENTI

Je reste avec vous.

UNE FEMME

Et qu'v'là un bon petit Noël.

L'APPRENTI

C'est le jour de Noël que le roi Clovis fut à Rheims baptisé.

UNE AUTRE FEMME

C'est le jour de Noël que not'roi Charles revient se faire sacrer.

UNE AUTRE

C'est une simple fille, de Dieu envoyée,
Qui le ramène à son foyer.

UNE AUTRE

Jeanne, qu'on l'appelle.

UNE AUTRE

La Pucelle!

UNE AUTRE

Qu'est née la nuit de l'Epiphanie!

UNE AUTRE

Qui a chassé les Anglais d'Orléans qu'ils assiégeaient!

UN AUTRE

Et qui va les chasser de France mêmement tretous! Ainsi soit-il!

UN AUTRE, fredonnant.

Noël! Ki Ki Ki Ki Ki Noël! Noël nouvelet! Rrr! qu'i fait froué!

Il se serre dans son manteau.

UNE FEMME

Faut bin regarder si qu'y aura un petit homme tout en rouge près du Roi. C'est elle.

UNE AUTRE

Sur un grand cheval noir.

LA PREMIÈRE

Y a six mois qu'elle gardait les vaches encore ed son pé.

UNE AUTRE

Et maintenant elle tient une bannière où qu'y a Jésus en écrit.

UN OUVRIER

Et qu'les Anglais se sauvent devant comme souris.

UN AUTRE

Gare aux mauvais Bourguignons de Saponay!

UN AUTRE

I seront tous à Rheims au petit matin.

UN AUTRE

Quoi qu'i font les ceusses ed là-bas?

L'APPRENTI

Les deux cloches de la cathédrale, Baudon et Baude,

Commencent à sonner au *Gloria* de Minuit, et jusqu'à l'arrivée des Français elles ne cesseront plus de badonguer.

Tout le monde garde chez lui une cire allumée jusqu'au matin.

On attend que le Roi soit là pour la messe de l'Aurore qui est *Lux fulgebit.*

Tout le clergé ira à sa rencontre, trois cents prêtres avec l'Archevêque en chapes d'or, et les réguliers, et le Maire, et la commune.

Ça sera bien beau sur la neige sous le soleil clair et gaillard et tout le peuple chantant Noël!

Et l'on dit que le Roi veut descendre de son cheval et entrer dans sa bonne ville sur un âne, comme Notre-Seigneur.

LE MAIRE

Comment donc que vous n'êtes pas resté là-bas?

L'APPRENTI

C'est maître Pierre de Craon qui m'a envoyé chercher du sable.

LE MAIRE

Quoi? c'est à cela qu'il s'occupe en ce moment?

L'APPRENTI

Il dit que le temps est court.

LE MAIRE

Mais à quoi mieux l'employer qu'à faire cette route, comme nous autres?

L'APPRENTI

Il dit que son métier n'est pas de faire des routes pour le Roi, mais une demeure pour Dieu.

LE MAIRE

A quoi sert Rheims, si le Roi n'y peut aller?

L'APPRENTI

A quoi la route, s'il n'y a pas d'église au bout?

LE MAIRE

Ce n'est pas un bon Français...

L'APPRENTI

Il dit qu'il ne sait rien que son métier. Celui qui parle politique chez nous, on lui noircit le nez avec le cul de la poêle.

LE MAIRE

Il n'a pu même venir à bout de sa Justice depuis dix ans qu'on y travaille.

L'APPRENTI

Si fait! toute la pierre est finie et la charpente est posée; il n'y a plus que la flèche qui n'a pas encore fini de pousser.

LE MAIRE

On n'y travaille guère.

L'APPRENTI

Le maître cherche ses vitraux et c'est pourquoi
il nous envoie ici prendre du sable;

Quoique ce ne soit pas son métier,

Tout l'hiver il a travaillé au milieu de ses four-
neaux.

Faire de la lumière, pauvres gens, c'est plus difficile que de faire de l'or,

Souffler sur cette lourde matière et la rendre
transparente, « selon que nos corps de boue seront
transmués en corps de gloire »,

Dit saint Paul.

Et de toutes couleurs il dit qu'il veut trouver

La couleur mère, telle que Dieu même l'a faite.

C'est pourquoi dans de grands vases purs emplis
d'une eau éclatante

Il verse l'hyacinthe, l'outremer, l'or gras, le ver-
millon,

Et regarde ces belles roses intérieures, ce que ça
fait dans le soleil et la grâce de Dieu, et comment
cela tourne et s'épanouit dans le matras.

Et il dit qu'il n'y a pas une couleur qu'il ne
puisse faire tout seul avec son esprit,

Comme son corps fait du rouge et du bleu.

Car il veut que la Justice de Rheims brille
comme l'Aurore au jour de ces noces.

LE MAIRE

On dit qu'il est lépreux.

L'APPRENTI

Ce n'est pas vrai! Je l'ai vu tout nu l'été dernier qui se baignait dans l'Aisne à Soissons. Je peux le dire!

Il a la chair saine comme celle d'un enfant.

LE MAIRE

C'est drôle tout de même. Pourquoi qu'i s'a tenu caché si longtemps?

L'APPRENTI

C'est un mensonge!

LE MAIRE

Je sais, je suis plus vieux que vous. Faut pas vous fâcher, petit homme. Ça ne fait rien qu'i soit malade ed son corps.

C'est pas d'son corps qu'i travaille.

L'APPRENTI

Faudrait pas qu'il vous entende dire ça! Je me rappelle comment il a puni l'un de nous qui restait tout le temps dans son coin à dessiner :

Il l'a envoyé toute la journée sur les échafauds avec les maçons pour les servir et leur passer leurs auges et leurs pierres,

Disant qu'au bout de la journée il saurait deux choses ainsi mieux que par règle et par dessin : le poids qu'un homme peut porter et la hauteur de son corps.

Et de même que la grâce de Dieu multiplie chacune de nos bonnes actions.

C'est ainsi qu'il nous a enseigné ce qu'il appelle
« le Sicle du Temple », et cette demeure de Dieu
dont chaque homme qui fait ce qu'il peut

Avec son corps est comme un fondement secret;

Ce que sont le pouce et la main et la coudée
et notre envergure et le bras étendu et le cercle
que l'on fait avec,

Et le pied et le pas;

Et comment rien de tout cela n'est le même
jamais.

Croyez-vous que le corps fût indifférent au père
Noé quand il fit l'arche? est-ce qu'il est indifférent,

Le nombre de pas qu'il y a de la porte à l'autel,
et la hauteur à laquelle il est permis à l'œil de
s'élever, et le nombre d'âmes que les deux côtés de
l'Eglise contiennent réservées?

Car l'artiste païen faisait tout du dehors, et nous
faisons tout de par-dedans comme les abeilles,

Et comme l'âme fait pour le corps : rien n'est
inerte, tout vit,

Tout est *action* de grâces.

LE MAIRE

Le petit homme parle bien.

UN OUVRIER

Ecoutez-le comme une agache tout plein des
paroles de son maître.

L'APPRENTI

Parlez avec respect de Pierre de Craon!

LE MAIRE

C'est vrai qu'il est bourgeois de Rheims et on
l'appelle le Maître du Compas,
Comme autrefois on appelait Messire Loys
Le Maître de la Règle.

UN AUTRE

Jette du bois dans le feu, Perrot' v'là qu'i commence à neiger.

En effet. — La nuit est complètement venue. —
Entre MARA, en noir, portant une espèce de
paquet sous son manteau.

MARA

C'est ici les gens de Chevoche?

LE MAIRE

C'est nous.

MARA

Loué soit Jésus-Christ.

LE MAIRE

Ainsi soit-il!

MARA

C'est chez vous qu'est la logette du Géyn?

LE MAIRE

Où habite la lépreuse?

MARA

Oui.

LE MAIRE

Ce n'est pas chez nous tout à fait, mais jouxtant.

UN AUTRE

Vous voulez voir la lépreuse?

MARA

Oui.

L'HOMME

On ne peut pas la voir; elle a toujours un voile sur le voult comme c'est ordonné.

UN AUTRE

Et bien ordonné! c'est pas moi qui ai envie de la regarder.

MARA

Voilà longtemps que vous l'avez?

L'HOMME

Huit ans t'à l'heure, et on voudrait bin ne pas l'avoir.

MARA

Est-ce qu'elle a fait du mal à personne?

L'HOMME

Non, mais tout de même c'est enguingnant à avoir près de chez soi, c'te varmine de gens.

LE MAIRE

Et puis c'est la commune qui la nourrit.

L'HOMME

Tiens! même qu'on a oublié de lui porter à manger depuis trois jours avec c't'affaire ed la route!

UNE FEMME

Et quoi que vous y voulez à c'te femme?

> Elle ne répond pas et reste debout, **regardant** le feu.

UNE FEMME

· C'est comme qui dirait un enfant que vous t'nez dans les bras?

UNE AUTRE

I fait bin froid pour promener les tiots **enfants** à c't'heure.

MARA

Il n'a pas froid.

> Silence. On entend dans la nuit sous les **arbres le** bruit d'une cliquette de bois.

UNE VIEILLE FEMME

Tenez! la v'là justement! v'là sa clique! Sainte Vierge! qué dommage qu'a soit pas morte!

UNE FEMME

A vient demander son manger. Pas de danger qu'elle oublie!

UN HOMME

Qué malheur d'nourrir c'te varmine.

UN AUTRE

J'tez-lui quéqu'chose. Faut pas qu'elle approche de nous. A n'aurait qu'à nous donner la poison.

UN AUTRE

Pas de viande, Perrot! C'est maigre, c'est la veille de Noël!

Ils rient.

Jette-lui ce michon de pain qu'est gelé. C'est bien assez pour elle.

L'HOMME, criant.

Hé! Sans-figure! Hé, Jeanne, que je dis! hé là, la d'vourée!

> On voit la forme noire de la Lépreuse sur la neige. MARA la regarde.

Attrape!

> Il lui jette à toute volée un morceau de pain. Elle se baisse et le ramasse, puis s'éloigne. MARA se remet en marche pour la suivre.

UN HOMME

Où qu'elle va?

UN AUTRE

Eh bin la femme! holà! où que vous allez, quoi que vous faites?

Elles s'éloignent.

SCÈNE II

Elles s'enfoncent au travers de la forêt, laissent leurs ves-
tiges dans la neige. Il se fait une éclaircie. La lune bril-
lant au milieu d'un immense halo éclaire une butte toute
couverte de bruyères et de sable blanc. Des pierres
monstrueuses, des grès aux formes fantastiques s'en déta-
chent. Ils ressemblent aux bêtes des âges fossiles, à des
monuments inexplicables, à des idoles ayant mal poussé
leurs têtes et leurs membres. Et la Lépreuse conduit
MARA à la caverne qu'elle habite, une espèce de couloir
bas où l'on ne peut se tenir qu'assis : le fond est fermé
sauf une ouverture pour la fumée.

SCÈNE III

VIOLAINE

Qui est ici,
Qui n'a pas craint d'unir ses pas à ceux de la
Lépreuse?
Et sachez que son voisinage est un danger et son
haleine pernicieuse.

MARA

C'est moi, Violaine.

VIOLAINE

O voix depuis lontemps inentendue! Est-ce vous,
ma mère?

MARA

C'est moi, Violaine.

VIOLAINE

C'est votre voix et une autre.
Laissez-moi allumer ce feu, car il fait très froid
Et cette torche aussi.

> Elle allume un feu de tourbe et de bruyère, au
> moyen de braises conservées dans un pot, puis
> la torche.

MARA

C'est moi, Violaine, Mara, ta sœur.

VIOLAINE

Chère sœur, salut! Que c'est bien d'être venue!
Mais ne me crains-tu point?

MARA

Je ne crains rien au monde.

VIOLAINE

Que ta voix est devenue semblable à celle de
Maman!

MARA

Violaine, notre chère mère n'est plus.

Silence.

VIOLAINE

Quand est-elle morte?

MARA

Ce mois même après ton départ.

VIOLAINE

Ignorant tout?

MARA

Je ne sais.

VIOLAINE

Pauvre Maman! Dieu ait son âme!

MARA

Et le père n'est pas revenu encore.

VIOLAINE

Et vous deux?

MARA

Cela va bien.

VIOLAINE

Tout va comme vous le voulez à la maison?

MARA

Tout va bien.

VIOLAINE

Je sais qu'il ne peut en être autrement
Avec Jacques et toi.

MARA

Tu verrais ce que nous avons fait! Nous avons
trois charrues de plus. Tu ne reconnaîtrais pas
Combernon.
Et nous allons abattre ces vieux murs,
Maintenant que le Roi est revenu.

VIOLAINE

Et vous êtes heureux ensemble, Mara?

MARA

Oui. Nous sommes heureux. Il m'aime
Comme je l'aime.

VIOLAINE

Loué soit Dieu.

MARA

Violaine!
Tu ne vois pas ce que je tiens entre mes bras?

VIOLAINE

Je ne vois pas.

MARA

Lève donc ce voile.

VIOLAINE

J'en ai sous celui-là un autre.

MARA

Tu ne vois plus?

VIOLAINE

Je n'ai plus d'yeux.
L'âme seule tient dans le corps péri.

MARA

Aveugle!
Comment donc marches-tu si droit?

VIOLAINE

J'entends.

MARA

Qu'entends-tu?

VIOLAINE

Les choses exister avec moi.

MARA, profondément.

Et moi, Violaine, m'entends-tu?

VIOLAINE

Dieu m'a donné l'intelligence
Qui est avec nous tous en même temps.

MARA

M'entends-tu, Violaine?

VIOLAINE

Ah, pauvre Mara!

MARA

M'entends-tu, Violaine?

VIOLAINE

Que veux-tu de moi, chère sœur?

MARA

Louer ce Dieu avec toi qui t'a faite pestiférée.

VIOLAINE

Louons-le donc, en cette veille de sa Nativité.

MARA

Il est facile d'être une sainte quand la lèpre nous sert d'appoint.

VIOLAINE

Je ne sais, ne l'étant point.

MARA

Il faut bien se tourner vers Dieu quand le reste n'est plus là.

VIOLAINE

Lui du moins ne manquera pas.

MARA, doucement.

Peut-être, qui le sait, Violaine, dis?

VIOLAINE

La vie manque et non point la mort où je suis.

MARA

Hérétique! es-tu sûre de ton salut?

VIOLAINE

Je le suis de sa bonté, qui a pourvu.

MARA

Nous en voyons les arrhes.

VIOLAINE

J'ai foi en Dieu qui m'a fait ma part.

MARA

Que sais-tu de lui qui est invisible et que rien
ne manifeste?

VIOLAINE

Il ne l'est pas devenu plus pour moi que n'est
le reste.

MARA, ironiquement.

Il est avec toi, petite colombe, et Il t'aime?

VIOLAINE

Comme avec tous les misérables, Lui-même.

MARA

Certes son amour est grand!

VIOLAINE

Comme celui du feu pour le bois quand il prend.

MARA

Il t'a durement châtiée.

VIOLAINE

Pas plus que je ne l'avais mérité.

MARA

Et déjà celui à qui tu avais livré ton corps t'a
oubliée.

VIOLAINE

Je n'ai pas livré mon corps!

MARA

Douce Violaine! menteuse Violaine! ne t'ai-je
point vu tendrement embrasser Pierre de Craon ce
matin d'un beau jour de juin?

VIOLAINE

Tu as vu tout et il n'y a rien d'autre.

MARA

Pourquoi donc le baisais-tu si précieusement?

VIOLAINE

Le pauvre homme était lépreux et moi, j'étais si
heureuse ce jour-là!

MARA

En toute innocence, n'est-ce pas?

VIOLAINE

Comme une petite fille qui embrasse un pauvre
petit garçon.

MARA

Dois-je le croire, Violaine?

VIOLAINE

C'est vrai.

MARA

Ne dis donc point que c'est de ton gré que tu
m'as laissé Jacques.

VIOLAINE

Non, ce n'est pas de mon gré, je l'aimais! Je ne
suis pas si bonne.

MARA

Fallait-il qu'il t'aimât encore, étant lépreuse?

VIOLAINE

Je ne l'attendais pas.

MARA

Qui aimerait une lépreuse?

VIOLAINE

Mon cœur est pur!

MARA

Mais qu'est-ce que Jacques en savait? Il te tient criminelle.

VIOLAINE

Notre mère m'avait dit que tu l'aimais.

MARA

Ne dis point que c'est elle qui t'a rendue lépreuse.

VIOLAINE

Dieu m'a prévenue de sa grâce.

MARA

De sorte que quand la mère t'a parlé...

VIOLAINE

... C'était Lui-même encore que j'entendais.

MARA

Mais pourquoi te laisser croire parjure?

VIOLAINE

N'aurais-je donc rien fait de mon côté?
Pauvre Jacquin! Fallait-il lui laisser aucun regret de moi?

MARA

Dis que tu ne l'aimais point.

VIOLAINE

Je ne l'aimais point, Mara?

MARA

Mais moi, je ne l'aurais pas ainsi lâché!

VIOLAINE

Est-ce moi qui l'ai lâché?

MARA

Mais moi, je serais morte!

VIOLAINE

Est-ce que je suis vivante?

MARA

Maintenant je suis heureuse avec lui.

VIOLAINE

Paix sur vous!

MARA

Et je lui ai donné un enfant, Violaine! une chère petite fille. Une douce petite fille.

VIOLAINE

Paix sur vous!

MARA

Notre joie est grande. Mais la tienne l'est davantage avec Dieu.

VIOLAINE

Et moi aussi j'ai connu la joie il y a huit ans et mon cœur en était ravi,

Tant, que je demanderai follement à Dieu, ah! qu'elle dure et ne cesse jamais!

Et Dieu m'a étrangement écoutée! Est-ce que ma lèpre guérira? Non pas, autant qu'il y aura une parcelle de chair mortelle à dévorer.

Est-ce que l'amour en mon cœur guérira? Jamais, tant qu'il y aura une âme immortelle à lui fournir aliment.

Est-ce que ton mari te connaît, Mara?

MARA

Quel homme connaît une femme?

VIOLAINE

Heureuse qui peut être connue à fond et se donner tout entière.

Jacques, tout ce que je pouvais donner, qu'en aurait-il fait?

MARA

Tu as transféré à Un Autre ta foi?

VIOLAINE

L'amour a fait la douleur et la douleur a fait l'amour.

Le bois où l'on a mis le feu ne donne pas de la cendre seulement mais une flamme aussi.

MARA

A quoi sert cet aveugle qui ne donne aux autres Lumière ni chaleur?

VIOLAINE

N'est-ce pas déjà beaucoup qu'il me serve?

Ne reproche pas cette lumière à la créature cal-
cinée

Visitée jusque dans ses fondations, qui la fait
voir en elle-même!

Et si tu passais une seule nuit dans ma peau tu
ne dirais pas que ce feu n'a pas de chaleur.

Le mâle est prêtre, mais il n'est pas défendu à la
femme d'être victime.

Dieu est avare et ne permet qu'aucune créature
soit allumée,

Sans qu'un peu d'impureté s'y consume,

La sienne ou celle qui l'entoure, comme la braise
de l'encensoir qu'on attise!

Et certes le malheur de ce temps est grand.

Ils n'ont point de père. Ils regardent et ne savent
plus où est le Roi et le Pape.

C'est pourquoi voici mon corps en travail à la
place de la Chrétienté qui se dissout.

Puissante est la souffrance quand elle est aussi
volontaire que le péché!

Tu m'as vue baiser ce lépreux, Mara? Ah, la
coupe de la douleur est profonde,

Et qui y met une fois la lèvre ne l'en retire plus
à son gré!

MARA

Prends donc aussi la mienne avec toi!

VIOLAINE

Je l'ai déjà prise.

MARA

Violaine! s'il y a encore quelque chose de vivant
et qui est ma sœur sous ce voile et cette forme
anéantie,

Souviens-toi que nous avons été des enfants
ensemble! aie pitié de moi!

VIOLAINE

Parle, chère sœur. Aie confiance! Dis tout!

MARA

Violaine, je suis une infortunée, et ma douleur
est plus grande que la tienne!

VIOLAINE

Plus grande, sœur?

MARA *avec un grand cri ouvrant son manteau
et levant au bout de ses bras le cadavre d'un
petit enfant.*

Regarde! prends-le!

VIOLAINE

Qu'est-ce que c'est?

MARA

Regarde, je te dis! Prends-le! Prends-le, je te le
donne.

Elle lui met le cadavre dans les bras.

VIOLAINE

Ah, je sens un petit corps raide! une pauvre
petite figure glacée!

MARA

Ha! ha! Violaine! Mon enfant! ma petite fille!
C'est sa petite figure si douce! c'est son pauvre
petit corps!

VIOLAINE, à voix basse.

Morte, Mara?

MARA

Prends-la, je te la donne!

VIOLAINE

Paix, Mara!

MARA

Ils voulaient me l'arracher, mais moi je ne me
la suis pas laissé prendre! et je me suis sauvée avec
elle

Mais toi, prends-la, Violaine! Tiens, prends-la,
tu vois, je te la donne.

VIOLAINE

Que veux-tu que je fasse, Mara?

MARA

Ce que je veux que tu fasses? ne m'entends-tu
pas?

Je te dis qu'elle est morte! je te dis qu'elle est
morte!

VIOLAINE

Son âme vit en Dieu. Elle suit l'Agneau. Elle est
avec les bienheureuses petites filles.

MARA

Mais elle est morte pour moi!

VIOLAINE

Tu me donnes bien son corps! donne le reste à Dieu.

MARA

Non! non! non! tu ne me donneras point le change avec tes paroles de béguine! Non. je ne me laisserai point apaiser.

Ce lait qui me cuit aux seins, il crie vers Dieu comme le sang d'Abel!

Est-ce que j'ai cinquante enfants à m'arracher du corps? est-ce que j'ai cinquante âmes à m'arracher de la mienne?

Est-ce que tu sais ce que c'est que de se déchirer en deux et de mettre au-dehors ce petit être qui crie?

Et la sage-femme m'a dit que je n'enfanterai plus.

Et quand j'aurais cent enfants, ce ne serait pas ma petite Aubaine.

VIOLAINE

Accepte, soumets-toi.

MARA

Violaine, tu le sais, j'ai la tête dure. Je suis celle qui ne se rend pas et qui n'accepte rien.

VIOLAINE

Pauvre sœur!

MARA

Violaine, c'est si doux, ces petits, et cela fait si mal, cette cruelle petite bouche, quand elle vous mord dedans!

VIOLAINE. caressant le visage.

Comme son petit visage est froid!

MARA, à voix basse.

Il ne sait rien encore.

VIOLAINE, de même.

Il n'était pas à la maison?

MARA

Il est à Rheims pour vendre son blé. Elle est morte tout d'un coup, en deux heures.

VIOLAINE

A qui ressemblait-elle?

MARA

A lui, Violaine. — Elle n'est pas seulement de moi, elle est de lui aussi. Ses yeux seulement sont les miens.

VIOLAINE

Pauvre Jacquin!

MARA

Ce n'est pas pour t'entendre dire : Pauvre Jacquin! que je suis venue ici.

VIOLAINE

Que veux-tu donc de moi?

MARA

Violaine, veux-tu voir cela? Dis! sais-tu ce que
c'est qu'une âme qui se damne?

De sa propre volonté pour le temps éternel?

Sais-tu ce qu'il y a dans le cœur quand on blas-
phème pour de bon?

J'ai un diable, pendant que je courais, qui me
chantait une petite chanson.

Veux-tu entendre ces choses qu'il m'a apprises?

VIOLAINE

Ne dis pas ces choses affreuses!

MARA

Rends-moi donc mon enfant que je t'ai donné!

VIOLAINE

Tu ne m'as donné qu'un cadavre.

MARA

Et toi, rends-le-moi vivant!

VIOLAINE

Mara! qu'oses-tu dire?

MARA

Je n'accepte pas que mon enfant soit mort.

VIOLAINE

Est-ce qu'il est en mon pouvoir de ressusciter les
morts?

MARA

Je ne sais, je n'ai que toi à qui je puisse avoir recours.

VIOLAINE

Est-ce qu'il est en mon pouvoir de ressusciter les morts comme Dieu?

MARA

A quoi est-ce que tu sers alors?

VIOLAINE

A souffrir et à supplier!

MARA

Mais à quoi est-ce qu'il sert de souffrir et de supplier si tu ne me rends pas mon enfant?

VIOLAINE

Dieu le sait, à qui c'est assez que je le serve.

MARA

Mais moi, je suis sourde et je n'entends pas! et je crie vers toi de la profondeur où je suis! Violaine! Violaine!

Rends-moi cet enfant que je t'ai donné! Eh bien! je cède, je m'humilie! aie pitié de moi!

Aie pitié de moi, Violaine! et rends-moi cet enfant que tu m'as pris.

VIOLAINE

Celui-là qui l'a pris peut le rendre!

MARA

Rends-le-moi donc. Ah! je sais que tout cela est
ta faute.

VIOLAINE

Ma faute?

MARA

Soit, non,
La mienne, pardonne-moi! Mais rends-le-moi, ma
sœur!

VIOLAINE

Mais tu vois qu'il est mort.

MARA

Tu mens! il n'est pas mort! Ah! fillasse, ah, cœur
de brebis! ah, si j'avais accès comme toi à ton Dieu,
Il ne m'arracherait pas mes petits si facilement!

VIOLAINE

Demande-moi de recréer le ciel et la terre!

MARA

Mais il est écrit que tu peux souffler sur cette
montagne et la jeter dans la mer.

VIOLAINE

Je le puis, si je suis une sainte.

MARA

Il faut être une sainte quand une misérable te
supplie.

VIOLAINE

Ah! suprême tentation!

Je jure, et je déclare, et je proteste devant Dieu que je ne suis pas une sainte!

MARA

Rends-moi donc mon enfant!

VIOLAINE

Mon Dieu, vous voyez mon cœur!

Je jure et je proteste devant Dieu que je ne suis pas une sainte!

MARA

Violaine, rends-moi mon enfant!

VIOLAINE

Pourquoi ne me laisses-tu pas en paix? pourquoi viens-tu ainsi me tourmenter dans ma tombe?

Est-ce que je vaux quelque chose? est-ce que je dispose de Dieu? est-ce que je suis comme Dieu?

C'est Dieu même que tu me demandes de juger seulement.

MARA

Je ne te demande que mon enfant seulement.

Pause.

VIOLAINE, levant le doigt.

Ecoute.

Silence. Cloches au loin presque imperceptibles.

MARA

Je n'entends rien.

VIOLAINE

Ce sont les cloches de Noël, les cloches qui nous annoncent la messe de Minuit!

O Mara, un petit enfant nous est né!

MARA

Rends-moi donc le mien.

> Trompettes dans l'éloignement.

VIOLAINE

Qu'est cela?

MARA

C'est le Roi qui va-t-à Rheims. N'as-tu point entendu de cette route que les paysans taillaient tout au travers de la forêt?

(Et cela fait aussi du bois pour eux.)

C'est une petite pastourelle qui le conduit, par le milieu de la France

A Rheims pour qu'il s'y fasse sacrer.

VIOLAINE

Loué soit Dieu qui fait ces grandes choses!

> Les cloches de nouveau, très claires.

MARA

Comme les cloches sonnent le *Gloria!* Le vent porte sur nous. Il y a trois villages à la fois qui sonnent.

VIOLAINE

Prions avec tout l'univers! Tu n'as pas froid, Mara?

MARA

Je n'ai froid qu'au cœur.

VIOLAINE

Prions. Voici longtemps que nous avons fait
Noël ensemble.

Ne crains point. J'ai pris ta douleur avec moi.
Regarde! et ce que tu m'as donné est caché sur mon
cœur avec moi.

Ne pleure point! Ce n'est pas le moment de pleurer, quand le salut de tous les hommes est déjà né.

Cloches au loin, moins distinctes.

MARA

Il ne neige plus et les étoiles brillent.

VIOLAINE

Regarde! vois-tu ce livre?

Le prêtre qui vient me visiter de temps en temps
l'a laissé ici.

MARA

Je le vois.

VIOLAINE

Prends-le, veux-tu? et lis-moi l'Office de Noël,
la première leçon de chacun des trois Nocturnes.

MARA prend le livre et lit :

PROPHÉTIE D'ISAÏE

Au premier temps fut allégée la terre de Zabulon
et la terre de Nephtali, et au dernier fut aggravée
la voie de la mer au-delà du Jourdain de la Galilée

des Nations. Le peuple qui marchait dans les ténèbres a vu une grande lumière; ceux qui habi-
taient dans la région de l'ombre de la mort la lumière leur est née. Vous avez multiplié le peuple
et vous n'avez pas augmenté la joie. Ils se réjoui-
ront en Votre présence comme au milieu d'une
moisson, comme exultent les vainqueurs sur la
proie qui est prise, quand ils se partagent les dé-
pouilles. Le joug en effet de son fardeau, et la verge
sur son épaule, et le spectre de son tyran, vous
avez tout surmonté comme au jour de Madian.
Toute la curée violente en tumulte et le vêtement
mêlé de sang seront donnés en combustion et l'aliment du feu. Car un tout-petit nous est né et la
principauté a été placée sur son épaule, et son nom
sera appelé Admirable, Conseiller, Dieu, Fort, Père
du siècle futur, Prince de la Paix!

VIOLAINE, levant le visage.

Ecoute!

Silence.

VOIX DES ANGES dans le ciel, perçue de la seule
VIOLAINE :

CHŒUR[1]. — *Hodie nobis de caelo pax vera des-
cendit, hodie per totum mundum melliflui facti
sunt caeli.*

VOIX SEULE[2]. — *Hodie illuxit nobis dies re-*

---

1. Voix de jeunes gens héroïques chantant d'une manière
grave à l'unisson, avec ralentissement et cadence très simple
sur la fin des phrases.
2. Comme d'un enfant.

demptionis novae, reparationis antiquae, felicitatis
aeternae.

CHŒUR. — *Hodie per totum mundum melli-*
flui facti sunt caeli.

> VIOLAINE lève le doigt. — Silence. — Mara
> écoute et regarde avec inquiétude.

MARA

Je n'entends rien.

VIOLAINE

Poursuis, Mara.

> MARA, reprenant sa lecture :

SERMON DE SAINT LÉON PAPE

Notre Sauveur, mes bien-aimés, est né en ce
jour-ci : soyons joyeux. Et en effet il n'est ouverture à la tristesse, quand c'est le jour natal de la
vie : qui, la crainte consumée de la mort met en
nous la joie de l'éternité promise. Nul d'une part
à cette allégresse n'est exclu. Une même raison de
liesse est à tous commune : puisque Notre-Seigneur,
destructeur du péché et de la mort, comme il n'a
trouvé personne exempt de faute, est venu pour
délivrer tout le monde. Que le saint exulte parce
que sa palme est proche; que le pêcheur se réjouisse...

> Sonnerie éclatante et prolongée de trompettes,
> toute proche. — Grands cris au travers de la
> forêt.

MARA

Le Roi! Le Roi de France!

> De nouveau et une fois encore sonnerie des trompettes indiciblement déchirante, solennelle et triomphale.

MARA, à voix basse.

Le Roi de France qui va-t-à Rheims!

> Silence.

Violaine!

> Silence.

M'entends-tu, Violaine?

> Silence. — Elle reprend sa lecture.

... Que le pécheur se réjouisse à cause qu'il est invité au pardon! Que le Gentil espère parce qu'il est invité à la vie! Car le Fils de Dieu selon la plénitude de ce temps que l'incrustable profondeur du divin conseil a disposée, pour la réconcilier à son auteur, s'est revêtu de la nature de la race humaine, afin que cet inventeur de la mort, le diable, par celle qu'il avait vaincue fût à son tour subjugué.

VOIX DES ANGES, entendue de la seule VIOLAINE, comme précédemment :

CHŒUR

O magnum mysterium et admirabile sacramentum ut animalia viderent Dominum natum jacentem in praesepio! Beata Virgo cujus viscera meruerunt portare Dominum Christum.

VOIX SEULE

Ave, Maria, gratia plena, Dominus tecum.

CHŒUR

Beata Virgo cujus viscera meruerunt portare Do-
minum Christum.

Pause.

MARA

Violaine, je ne suis pas digne de lire ce livre!
Violaine, je sais que je suis trop dure et j'en ai
regret : je voudrais être autrement.

VIOLAINE

Lis, Mara. Tu ne sais qui chante le répons.

Silence.

MARA, avec un effort, reprenant le livre, d'une voix
tremblante :

LECTURE DU SAINT EVANGILE SELON SAINT LUC

Elles se lèvent toutes deux.

En ce temps-là l'édit fut issu de César Auguste
que toute la terre fût mise par écrit. Et le reste.

Elles s'assoient.

HOMÉLIE DE SAINT GRÉGOIRE PAPE

Elle s'arrête, vaincue par l'émotion. — Les trom-
pettes sonnent une dernière fois au loin.

MARA

Pour ce que, par la grâce de Dieu, nous devons
aujourd'hui trois fois célébrer les solennités de la
messe, nous ne pouvons longtemps parler sur l'évangile qui vient d'être lu. Cependant la naissance
même de notre Rédempteur nous oblige à vous

adresser au moins quelques paroles. Pourquoi au moment de cette naissance se fait-il un dénombrement de l'univers, sinon pour clairement manifester que celui-là apparaissait dans la chair qui ferait recensement de ses élus pour l'éternité? Au contraire le Prophète dit des méchants : Ils seront effacés du livre des vivants et ils ne seront point écrits au nombre des justes. Il est bien aussi que ce soit Bethléem où il naisse. Bethléem en effet veut dire « Maison du pain » et Jésus-Christ dit de lui-même : Je suis le pain vivant qui suis descendu du ciel. Le lieu donc où Notre-Seigneur naît avait été appelé dès auparavant Maison du pain, afin qu'y apparût dans la substance de la chair celui qui devait repaître les cœurs d'une interne satiété. Il naît, non dans la maison de ses parents mais sur la route, afin sans doute de montrer que, par l'humanité qu'il revêt, il naît ainsi qu'en lieu étranger.

VOIX DES ANGES :

CHŒUR. — Beata viscera Mariae Virginis quae portaverunt aeterni Patris Filium; et beata ubera quae lactaverunt Christum Dominum. Qui hodie pro salute mundi de Virgine nasci dignatus est.

VOIX SEULE. — Dies sanctificatus illuxit nobis, venite, gentes, et adorate Dominum.

CHŒUR. — Qui hodie pro salute mundi de Virgine nasci dignatus est.

Long silence.

VOIX DES ANGES de nouveau, presque imperceptible :

CHŒUR. — Verbum caro factum est et habitavit in nobis; et vidimus gloriam ejus, gloriam quasi Unigeniti a Patre, plenum gratiae et veritatis.

VOIX SEULE. — Omnia per ipsum facta sunt et sine ipso factum est nihil.

CHŒUR. — Et vidimus gloriam ejus, gloriam quasi Unigeniti a Patre, plenum gratiae et veritatis.

VOIX SEULE. — Gloria Patri et Filio et Spiritui Sancto.

CHŒUR. — Et vidimus gloriam ejus, gloriam quasi Unigeniti a Patre, plenum gratiae et veritatis.

Long silence.

VIOLAINE, soudain poussant un cri étouffé.
Ah!

MARA
Qu'y a-t-il?

De la main elle lui fait signe de se taire. — Silence. — Les premières lueurs du jour apparaissent.

Violaine met la main sous son manteau comme quelqu'un qui referme son vêtement.

MARA
Violaine, je vois un mouvement sous ton manteau!

VIOLAINE, comme se réveillant peu à peu.
Est-ce toi, Mara? Bonjour, sœur. Je sens sur ma face le souffle du jour qui naît.

MARA

Violaine! Violaine! est-ce toi qui remues le bras ainsi! Je vois ce mouvement encore.

VIOLAINE

Paix, Mara, voici le jour de Noël où toute joie est née!

MARA

Quelle joie y a-t-il pour moi sinon que mon enfant vive?

VIOLAINE

Et nous aussi un petit enfant nous est né!

MARA

Au nom du Dieu vivant, que dis-tu là?

VIOLAINE

« Voici que je vous annonce une grande joie... »

MARA

Je vois le manteau qui bouge de nouveau!

> On voit un petit pied nu d'enfant qui apparaît dans l'ouverture du manteau, remuant paresseusement.

VIOLAINE

« ... Parce qu'un homme est apparu dans le monde! »

> MARA tombe à genoux, poussant un profond soupir, le front sur les genoux de sa sœur. VIOLAINE lui caresse le visage de la main.

VIOLAINE

Pauvre sœur! elle pleure. Elle a eu trop de peine aussi.

> Silence. Elle la baise sur la tête.

Prends, Mara! Veux-tu me laisser toujours cet enfant?

MARA

> Elle prend l'enfant de dessous le manteau et le regarde passionnément.

Il vit!

VIOLAINE

> Elle sort et fait quelques pas sur la bruyère. On voit sous les premiers rayons d'une aurore glacée, d'abord des arbres, pins et bouleaux, vêtus de givre, puis, au bord d'une plaine immmense et couverte de neige, toute petite, au haut d'une colline et bien dessinée dans l'air pur, la silhouette aux cinq tours de Monsanvierge.

Gloire à Dieu.

MARA

Il vit!

VIOLAINE

Paix aux hommes sur la terre!

MARA

Il vit! Il vit!

VIOLAINE

Il vit et nous vivons.

Et la face du Père apparaît sur la terre renaissante et consolée.

MARA

Mon enfant vit.

VIOLAINE, levant le doigt.

Ecoute!

Silence.

J'entends l'Angélus qui sonne à Monsanvierge.

Elle se signe et prie. — L'enfant se réveille.

MARA, à voix très basse.

C'est moi, Aubaine, me reconnais-tu?

L'enfant s'agite et geint.

Quoi qu'i gnia, ma joie? quoi qu'i gnia, mon trésor?

L'enfant ouvre les yeux, regarde sa mère et se met à pleurer. MARA le regarde attentivement.

Violaine!

Qu'est-ce que cela veut dire? Ses yeux étaient noirs,

Et maintenant ils sont devenus bleus comme les tiens.

Silence.

Ah!

Et quelle est cette goutte de lait que je vois sur ses lèvres?

ACTE IV

SCÈNE PREMIÈRE

La nuit. La salle du premier acte, déserte. Une lampe est posée sur la table. La porte sur l'extérieur est à demi ouverte.

MARA entre, venant du dehors, et referme la porte avec précaution. Elle se tient un instant immobile au milieu de la pièce, tournée vers la porte, tendant l'oreille.

Puis elle prend la lampe et sort par une autre porte sans aucun bruit.

La scène reste dans l'obscurité. On ne voit que le feu d'une braise dans l'âtre.

SCÈNE II

Son d'une corne au loin une et deux fois. Appels. Agitation dans la ferme. Puis le bruit de portes qui s'ouvrent et d'une charrette grinçante qui se rapproche. On frappe à grands coups.

VOIX AU-DEHORS, criant.

Ohé!

Bruit à l'étage supérieur d'une fenêtre qui s'ouvre.

VOIX DE JACQUES HURY

Qui va là?

VOIX AU-DEHORS

Ouvrez!

VOIX DE JACQUES HURY

Que voulez-vous?

VOIX AU-DEHORS

Ouvrez!

VOIX DE JACQUES HURY

Qui êtes-vous?

VOIX AU-DEHORS

Ouvrez, que l'on vous dit!

Pause.

JACQUES HURY, un flambeau à la main, pénètre dans la pièce; il ouvre.

Au bout d'un moment entre PIERRE DE CRAON, portant un corps de femme enveloppé entre ses bras. Il le dépose avec précaution sur la table. Puis il se redresse.

Les deux hommes se regardent face à face à la lumière de la chandelle.

PIERRE DE CRAON

Jacques Hury, ne me reconnaissez-vous point?

JACQUES HURY

Pierre de Craon?

PIERRE DE CRAON

C'est moi.

Ils se regardent.

JACQUES HURY

Et qu'est-ce que vous m'apportez ici?

PIERRE DE CRAON

Je l'ai trouvée à demi enterrée dans ma sablonnière, là où je vais chercher ce qu'il faut
  Pour mes fours à verre et mêmement le mortier,
  A demi enfouie sous une grande charretée de
sable, sous une charrette mise à cul dont on avait
retiré le tacot.
  Elle vit encore. C'est moi qui ai pris sur moi de
vous la mener
  Ici.

JACQUES HURY

Pourquoi ici?

PIERRE DE CRAON

Qu'elle meure du moins sous le toit de son père!

JACQUES HURY

Il n'y a de toit ici que le mien.

PIERRE DE CRAON

Jacques, voici Violaine.

JACQUES HURY

Je ne connais point de Violaine.

PIERRE DE CRAON

N'avez-vous rien entendu
De la lépreuse de Chevoche?

JACQUES HURY

Que m'importe?
Vous autres lépreux, raclez-vous vos ulcères les
uns aux autres.

PIERRE DE CRAON

Je ne suis plus lépreux, il y a déjà longtemps que
je suis guéri.

JACQUES HURY

Guéri?

PIERRE DE CRAON

Le mal d'année en année s'est réduit et je suis
sain de nouveau.

JACQUES HURY

Et celle-ci aussi va être guérie dans un moment.

PIERRE DE CRAON

Vous êtes plus lépreux qu'elle et moi.

JACQUES HURY

Mais je ne demande pas qu'on me dérange de
mon trou à sable.

PIERRE DE CRAON

Et même si elle avait fait le mal, vous devriez
vous souvenir.

JACQUES HURY

Est-ce vrai qu'elle vous a embrassé sur la bouche?

PIERRE DE CRAON, la regardant.

C'est vrai, pauvre enfant!

JACQUES HURY

Elle bouge, je la vois qui se ranime.

PIERRE DE CRAON

Je vous laisse avec elle.

Il sort.

SCÈNE III

JACQUES HURY s'assied près de la table et regarde VIOLAINE en silence.

VIOLAINE, se ranimant et étendant la main.

Où suis-je, et qui est là?

JACQUES HURY

A Monsanvierge, et c'est moi qui suis près de vous.

Pause.

VIOLAINE, avec l'accent d'autrefois.

Bonjour, Jacques!

Silence.

Jacques, vous m'en voulez donc encore?

JACQUES HURY

La blessure n'est pas fermée.

VIOLAINE

Pauvre garçon!
Et moi aussi n'ai-je pas souffert un peu?

JACQUES HURY

Qui vous a pris de baiser ce lépreux sur la bouche?

VIOLAINE

Jacques! il faut bien vite me faire tous ces reproches que vous avez sur le cœur et que ce soit fini.

Car nous avons autre chose à dire encore,

Et je veux encore une fois entendre de vous ces mots que j'ai tant aimés : *Chère Violaine! Douce Violaine!*

Car le temps qui me reste avec vous est court.

JACQUES HURY

Je n'ai rien de plus à vous dire.

VIOLAINE

Venez ici, méchant homme!

Il s'approche du lit.

Plus près de moi encore.

Elle lui prend la main et l'attire. Il s'agenouille à son côté gauchement.

Jacques, il faut me croire. Je le jure devant Dieu qui nous voit!

Je n'ai point fait le mal avec Pierre de Craon.

JACQUES HURY
Pourquoi donc l'avez-vous embrassé?

VIOLAINE
Ah, il était si triste et j'étais si heureuse!

JACQUES HURY
Je ne vous crois pas.

Elle lui met la main un moment sur la tête.

VIOLAINE
Est-ce que vous me croyez à présent?

Il se cache le visage dans sa robe et sanglote sourdement.

JACQUES HURY
Ah, Violaine! cruelle Violaine!

VIOLAINE
Non point cruelle, mais douce, douce Violaine!

JACQUES HURY
Il est donc vrai? oui, c'est moi seul que vous aimiez?

Silence. Elle lui donne son autre main.

VIOLAINE
Jacques, sans doute c'était trop beau et nous aurions été trop heureux.

JACQUES HURY
Vous m'avez cruellement trompé!

VIOLAINE
Trompé? non, cette fleur d'argent à mon côté ne mentait pas.

JACQUES HURY

Que pouvais-je croire, Violaine?

VIOLAINE

Si vous aviez cru en moi,
Qui sait si vous ne m'auriez pas guérie?

JACQUES HURY

Ne devais-je pas croire à mes yeux?

VIOLAINE

Il est vrai. Vous deviez croire à vos yeux, cela
est juste.

On n'épouse pas une lépreuse. On n'épouse pas
une infidèle.

Ne regrette rien, Jacques. Va, cela est mieux
ainsi.

JACQUES HURY

Vous saviez que Mara m'aimait?

VIOLAINE

Je le savais. Ma mère même me l'avait dit.

JACQUES HURY

Ainsi tout s'est ligué avec elle contre moi!

VIOLAINE

Jacques, il y a déjà assez de douleur au monde.
Il vaut mieux ne pas être la cause d'une grande
douleur aux autres, le voulant.

JACQUES HURY

Que faites-vous de la mienne?

VIOLAINE

C'est autre chose, Jacques. N'es-tu pas content
d'être avec moi?

JACQUES HURY

Oui, Violaine.

VIOLAINE

Où je suis il y a patience, pas douleur.

Silence.

Celle du monde est grande.

Il est trop dur de souffrir et de ne savoir à quoi
bon.

Mais ce que d'autres ne savent pas, je l'ai appris
et je veux que tu le saches avec moi.

Jacques, est-ce que nous n'avons pas été séparés
encore assez longtemps? est-ce que nous tolérerons
encore cet obstacle entre nous? Est-ce qu'il faut que
la mort encore nous sépare?

Tout ce qui doit périr, c'est cela qui est malade,
et tout cela qui ne doit pas périr, c'est cela qui
souffre.

Heureux celui qui souffre et qui sait à quoi bon!
Maintenant ma tâche est finie.

JACQUES HURY

La mienne commence.

VIOLAINE

Hé quoi! trouves-tu cette coupe si amère où j'ai
bu?

JACQUES HURY

Voici que je vous ai perdue à jamais!

VIOLAINE

Dis-moi, pourquoi perdue?

JACQUES HURY

Tu meurs!

VIOLAINE

Jacques, comprends-moi!
A quoi sert le meilleur parfum dans un vase qui est fermé? il ne sert pas.

JACQUES HURY

Non, Violaine.

VIOLAINE

A quoi me servait ce corps,
Pour qu'il me cache ainsi le cœur en sorte que tu ne le voyais point, mais seulement cette marque au-dehors sur l'enveloppe misérable?

JACQUES HURY

J'ai été dur et aveugle!

VIOLAINE

Maintenant je suis rompue tout entière, et le parfum s'exhale.
Et voilà que tu crois tout, simplement parce que je t'ai mis la main sur la tête.

JACQUES HURY

Je crois. Je ne doute plus.

VIOLAINE

Et dis-moi où est la part de la Justice en tout cela? cette Justice dont tu parlais si fièrement?

JACQUES HURY

Je ne suis plus fier.

VIOLAINE

Va! Laisse la Justice où elle est. Ce n'est pas à nous de l'appeler et de la faire venir.

JACQUES HURY

Violaine, que tu as souffert au cours de ces huit années!

VIOLAINE

Non point en vain. Bien des choses se consument sur le feu d'un cœur qui brûle.

JACQUES HURY

La délivrance est proche.

VIOLAINE

Bénie soit donc la main qui l'autre nuit m'a conduite!

JACQUES HURY

Quelle main?

VIOLAINE

Comme je venais de chercher ma nourriture. Cette main silencieusement qui a pris la mienne et qui m'a conduite.

JACQUES HURY

Où?

VIOLAINE

Où Pierre de Craon m'a trouvée.

Sous un grand tas de sable, la charge de toute une charrette sur moi renversée. M'y suis-je mise toute seule?

JACQUES HURY, se levant.

Qui a fait cela? Sang Dieu! Qui a fait cela?

VIOLAINE

Je ne sais. Peu importe. Ne jure pas.

JACQUES HURY

Je tirerai cela au clair.

VIOLAINE

Mais non, tu ne tireras rien au clair.

JACQUES HURY

Dis tout!

VIOLAINE

Je t'ai tout dit. Que veux-tu savoir d'une aveugle?

JACQUES HURY

Tu ne me donneras pas le change.

VIOLAINE

Ne parle pas vainement. Je n'ai plus que peu de temps avec toi.

JACQUES HURY

Il me reste Mara pour toujours.

VIOLAINE

Elle est ta femme et ma sœur, née du même père
et de la même mère, et faite de la même chair.

Toutes deux à ce flanc de Monsanvierge.

> Silence. — JACQUES reste un moment immobile,
> comme essayant de se dominer. Puis il se rassoit.

JACQUES HURY

Il n'y a plus de recluses à Monsanvierge.

VIOLAINE

Que dis-tu?

JACQUES HURY

La dernière est morte à la Noël dernière. Aucune
bouche ne se présente plus au guichet de l'église
nourrice de ce saint monastère,

Nous a dit le prêtre qui leur donnait la communion.

VIOLAINE

La montagne de Dieu

Est morte, et nous nous partageons l'héritage,
Mara et moi.

JACQUES HURY

Et Violaine était le surjon secret de l'Arbre saint,
issu de quelque racine souterraine.

Dieu ne me l'aurait pas prise, si elle avait été
remplie de moi tout entière, ne laissant aucune
place vide,

« La part de Dieu », comme l'appellent les
bonnes femmes.

VIOLAINE

Qu'y faire? tant pis!

JACQUES HURY

Reste! Ne t'en va pas!

VIOLAINE

Je reste, je ne m'en vais pas.

Dis, Jacques, te souviens-tu de cette heure de
midi et de ce grand soleil brûlant, et de cette place
sur ma chair que je t'ai montrée sous mon sein?

JACQUES HURY

Ah!

VIOLAINE

Tu t'en souviens? te l'ai-je bien dit que désormais
tu ne m'arracherais plus de ton âme.

Ceci de moi est en toi pour toujours. Je ne veux
plus que tu sois joyeux, il n'est pas convenable que
tu ries,

Pour le temps que tu es loin de moi encore.

JACQUES HURY

Ah! Ah! Violaine!

VIOLAINE

Aie de moi ceci, mon bien-aimé!

La communion sur la croix, l'amertume comme
celle de la myrrhe

Du malade qui voit l'ombre sur le cadran et de l'âme qui reçoit vocation.

Et pour toi l'âge est venu déjà. Mais qu'il est dur de se renoncer à un jeune cœur!

JACQUES HURY

Et de moi tu n'as rien voulu accepter!

VIOLAINE

Crois-tu que je ne connaisse rien de toi, Jacques?

JACQUES HURY

Ma mère me connaissait.

VIOLAINE

A moi aussi, ô Jacques, tu as fait bien du mal!

JACQUES HURY

Tu es vierge et je n'ai point de part en toi.

VIOLAINE

Hé quoi! faut-il donc te dire tout?

JACQUES HURY

Que caches-tu encore?

VIOLAINE

Il le faut. Ce n'est plus le temps de rien réserver.

JACQUES HURY

Parle plus haut.

VIOLAINE

Ne t'ont-ils donc point dit que ton enfant était mort?

Cet an dernier, pendant que tu étais à Rheims?

JACQUES HURY

Plusieurs me l'ont dit. Mais Mara jure qu'il dormait seulement.

Et je n'ai jamais pu tirer d'elle toute l'histoire. On raconte qu'elle est allée te trouver.

J'aurais fini par le savoir. Je voulais en avoir le cœur net.

VIOLAINE

C'est vrai. Tu as droit de tout connaître.

JACQUES HURY

Qu'allait-elle te demander?

VIOLAINE

N'as-tu point vu que les yeux de ta petite fille ne sont plus les mêmes?

JACQUES HURY

Ils sont bleus maintenant comme les tiens.

VIOLAINE

C'était la nuit de Noël. — Oui Jacques, c'est vrai, elle était morte. Son petit corps était raide et glacé.

Je le sais; toute la nuit je l'ai tenue entre mes bras.

JACQUES HURY

Qui donc lui a rendu la vie?

VIOLAINE

Dieu seul, et avec Dieu
La foi et le désespoir de sa mère.

JACQUES HURY

Mais toi, tu n'y as été pour rien?

VIOLAINE

O Jacques, à toi seul je dirai un grand mystère.
Il est vrai, quand j'ai senti ce corps mort sur le
mien, l'enfant de ta chair, Jacques...

JACQUES HURY

Ah! ma petite Aubaine!

VIOLAINE

Tu l'aimes beaucoup?

JACQUES HURY

Poursuis.

VIOLAINE

... Mon cœur s'est rétréci et le fer a pénétré en
moi.

Voilà donc ce que je tenais entre mes bras pour
ma nuit de Noël et tout ce qui restait de notre
race un enfant mort!

Tout ce qu'à jamais de toi je posséderais en cette
vie.

Et j'écoutais Mara qui me lisait l'Office de cette

Sainte Nuit : le tout-petit qui nous a été donné, l'évangile de la Joie.

Ah, ne dis pas que je ne connais rien de toi! Ne dis pas que je ne sais ce que c'est de souffrir par toi!

Ni que j'ignore l'effort et la division de la femme qui donne la vie!

JACQUES HURY

Tu ne dis pas que cet enfant est vraiment ressuscité?

VIOLAINE

Ce que je sais, c'est qu'il était mort, et que tout à coup j'ai senti cette tête bouger!

Et la vie a jailli de moi tout d'un coup en un seul trait et ma chair mortifiée a refleuri!

Ah! je sais ce que c'est que cette petite bouche aveugle qui cherche et ces dents impitoyables!

JACQUES HURY

O Violaine!

Silence. Il veut se lever.

VIOLAINE faiblement l'oblige à rester assis.

VIOLAINE

Me pardonnes-tu maintenant?

JACQUES HURY

O fausseté de femme! Ah! tu es la fille de ta mère!

Dis! ce n'est pas à toi, n'est-ce pas, que tu veux que je pardonne?

VIOLAINE

A qui donc?

JACQUES HURY

Quelle est cette main qui a pris la tienne l'autre
nuit et qui t'a ainsi gracieusement conduite?

VIOLAINE

Je ne sais pas.

JACQUES HURY

Mais moi, je crois le savoir.

VIOLAINE

Tu ne le sais pas. Laisse cela entre nous, c'est
une affaire de femmes.

JACQUES HURY

La mienne est de faire justice.

VIOLAINE

Ah, laisse là ta Justice.

JACQUES HURY

Je sais ce qui me reste à faire.

VIOLAINE

Tu ne sais rien du tout, pauvre bonhomme, tu
ne comprends rien aux femmes,

Et combien elles sont pauvres et bêtes et dures
de la tête et ne savent qu'une seule chose.

Ne brouillonne pas tout avec elle comme avec
moi.

Etait-ce bien sa main seulement? Je n'en sais
rien. Et toi pas davantage. Et à quoi bon le savoir?

Garde ce que tu as. Pardonne.

Et toi, n'as-tu donc jamais eu besoin d'être par-
donné?

JACQUES HURY

Je reste seul.

VIOLAINE

Non point seul avec ce beau petit enfant que je
t'ai rendu,

Et Mara, ma sœur, ta femme de la même chair
que moi. Avec moi, qui te connaît davantage?

Il te faut la force et le fait, il te faut un devoir
tout tracé et le fait accompli.

C'est pourquoi j'ai du sable dans les cheveux.

JACQUES HURY

Le bonheur est fini pour moi.

VIOLAINE

Il est fini, qu'est-ce que ça fait? on ne t'a point
promis le bonheur. Travaille, c'est tout ce qu'on te
demande. (Et Monsanvierge est à toi tout seul à
présent.)

Interroge la vieille terre et toujours elle te répon-
dra avec le pain et le vin.

Pour moi, j'en ai fini et je passe outre.

Dis, qu'est-ce qu'un jour loin de moi? bientôt
il sera passsé.

Et alors quand ce sera ton tour et que tu verras

la grande porte craquer et remuer, c'est moi de l'autre côté qui suis après.

Silence.

JACQUES HURY

O ma fiancée, à travers les branches en fleurs, salut!

VIOLAINE

Tu te souviens?
Jacques! Bonjour, Jacques!

Premières lueurs du jour qui apparaît.

Et maintenant il faut m'emporter d'ici.

JACQUES HURY

T'emporter?

VIOLAINE

Ce n'est point ici la place d'une lépreuse pour y mourir.

Fais-moi porter dans cet abri que mon père avait construit pour les pauvres à la porte de Monsanvierge.

Il fait le geste de la prendre. Elle fait non de la main.

Non, Jacques, non, pas vous.

JACQUES HURY

Quoi, pas même ce dernier devoir envers vous?

VIOLAINE

Non. Il n'est pas convenable que vous me touchiez.

Appelez Pierre de Craon.

Il a été lépreux, bien que Dieu l'ait guéri. Il n'a point horreur de moi.

Et je sais que je suis comme un frère pour lui et la femme n'a plus de pouvoir sur son âme.

> JACQUES HURY sort, et revient quelques moments après, avec PIERRE DE CRAON. Elle ne dit plus rien. Tous deux la regardent en silence.

VIOLAINE

Jacques!

JACQUES HURY

Violaine!

VIOLAINE

Est-ce que l'année a été bonne et le blé bien beau?

JACQUES HURY

Tant qu'on ne sait plus où le mettre.

VIOLAINE

Ah!

Que c'est beau une grande moisson!

Oui même maintenant je m'en souviens et je trouve que c'est beau.

JACQUES HURY

Oui, Violaine.

VIOLAINE

Que c'est beau

De vivre! *(tout bas, avec une profonde ferveur)* et que la gloire de Dieu est immense!

JACQUES HURY

Vis donc et reste avec nous.

VIOLAINE

Mais que c'est bon aussi de mourir! Alors que
c'est bien fini et que s'étend sur nous peu à peu
    L'obscurcissement comme d'un ombrage très
obscur.

Silence.

PIERRE DE CRAON

Elle ne dit plus un mot.

JACQUES HURY

Prenez-la. Portez-la où je vous ai dit.
Car pour moi, elle ne veut point que je la touche.
Bien doucement! Doucement, doucement, je vous
dis. Ne lui faites point de mal.

Ils sortent, PIERRE portant le corps.
La porte reste ouverte.
Longue pause.

SCÈNE IV

Apparaît sur le seuil de la porte ANNE VERCORS, en
costume de voyageur, le bâton à la main et un sac en
bandoulière.

ANNE VERCORS

Ouverte.

La maison est-elle vide que toutes les portes
soient ouvertes?

Qui entre si matin avant moi? ou qui est-ce qui
est sorti?

Il regarde longuement autour de lui.

Je reconnais la vieille salle, rien n'est changé.

Voici la cheminée, voici la table.

Voici le plafond aux poutres solides.

Je suis comme la bête qui flaire de tous côtés et
qui reconnaît son gîte et son nid.

Salut, maison! C'est moi. Voici que le maître
revient.

Salut, Monsanvierge, haute demeure!

De bien loin, depuis hier matin et le jour d'avant,
à la crête de la colline j'ai reconnu l'Arche aux
cinq tours.

Mais d'où vient que les cloches ne sonnent plus?
hier ni ce matin

Je n'ai pas entendu dans le ciel avec l'Ange neuf
fois sonore

Jésus dans le cœur de Marie trois fois trois fois
annoncé.

Monsanvierge! que de fois j'ai pensé à tes murs,

Cependant que sous mes pieds captifs je faisais
monter l'eau dans le jardin du vieillard de Damas.
(O le matin et l'après-midi implacable! ô la noria
éternelle et les yeux qu'on lève vers le Liban!)

Et tous les aromates de l'exil sont peu de chose
pour moi,

Auprès de cette feuille de noyer que je froisse
entre mes doigts.

Salut, terre puissante et subjuguée! Ce n'est pas
du sable ici qu'on cultive et la molle alluvion.

C'est le sol foncier lui-même qu'on laboure à la
force de son corps de six bœufs qui tirent, et qui
sort lentement sous le soc une tranche énorme!

Et tout, aussi loin que mes yeux s'étendent, a
répondu à l'ébranlement que l'homme lui donne.

Déjà j'ai vu tous mes champs et j'ai reconnu que
tout est soigné comme il faut. Dieu soit loué! Jacques fait bien son travail.

> Il pose son sac sur la table.

Terre, je suis allé chercher pour toi un peu de
terre,

Un peu de terre pour ma sépulture, celle que
Dieu lui-même pour la sienne a choisie à Jérusalem.

> Pause.

Je n'ai pas voulu rentrer hier soir. J'ai attendu
le grand jour.

Et j'ai passé la nuit sous une meule de paille
nouvelle, pensant, dormant, priant, regardant, me
souvenant, remerciant,

Écoutant si parfois j'entendais la voix de ma
femme ou de ma fille Violaine, ou d'un enfant qui
crie.

M'étant réveillé, j'ai vu que la nuit s'éclairait,

Et là-haut, surmontant le sombre cimier de Monsanvierge, resplendissante, arrivant de l'Arabie,

L'étoile du matin sur la France comme un héraut
qui s'élève dans la solitude!

Et je me suis mis en marche vers la maison.

Holà? Y a-t-il quelqu'un ici?

> Il frappe sur la table avec son bâton. — Rideau
> qui reste fermé quelques moments.

SCÈNE V

Le fond du jardin. L'après-midi du même jour. Fin de
l'été.

Les arbres chargés de fruits. De quelques-uns les branches
qui plient jusqu'à terre sont soutenues par des étais. Les
feuillages, comme ternis et usés, mêlés de pommes rouges
et jaunes, font comme une tapisserie.

Au fond, inondée de lumière, telle qu'après la moisson,
la plaine immense; des éteules et déjà des terres labou-
rées. On voit les routes blanches et les villages. Des ran-
gées de meules qui paraissent toutes petites, et, çà et là,
un peuplier. Très loin, et de différents côtés, des trou-
peaux de moutons. L'ombre des grands nuages passe sur
la plaine.

Au milieu, et à l'endroit où la scène descend vers le fond
d'où l'on voit émerger les cimes d'un petit bois, un banc
de pierre semi-circulaire où l'on accède par trois degrés
et dont le dossier est terminé par des têtes de lion. ANNE
VERCORS y est assis, ayant à sa droite JACQUES HURY.

ANNE VERCORS

L'arrière-saison dorée

Tout à l'heure

Dépouille l'arbre fruitier et la vigne.

Et le matin le soleil blanc

D'un seul éclat de diamant sans nul feu s'associe
à la blanche vêture de la terre;

Et le soir est proche où celui qui passe sous les
peupliers

Entend la dernière feuille tout en haut!

Maintenant, voici qu'égalant les jours et les nuits, contrepesant

Les longs travaux avec son signe débordant, au travers de la Porte céleste

S'interpose la royale Balance.

JACQUES HURY

Père, depuis que tu es parti,

Tout, l'histoire douloureuse, et le complot de ces femmes, et la trappe qui a été construite pour nous y prendre,

Tu le sais, et je t'ai raconté

Une chose encore la bouche sur l'oreille.

Où est ta femme? où est ta fille Violaine?

Et voilà que tu parles du lien qu'on tord et de la grappe grande et noire

Qui remplit tout entière la main du vigneron, la main qu'on enfonce sous le pampre!

Déjà

Et le Scorpion oblique et le Sagittaire rétrograde

Ont paru sur le cadran nocturne.

ANNE VERCORS

Laisse le vieillard jouir de la saison chaleureuse!

O lieu vraiment béni! ô Sein de la Patrie! ô terre reconnaissante et fécondée!

Les chars qui passent par le chemin

Laissent de la paille après les branches chargées de fruits!

JACQUES HURY

O Violaine! ô cruelle Violaine! désir de mon âme tu m'as trahi!

O détestable jardin! ô amour inutile et méconnu! Jardin à la male heure planté!

Douce Violaine! perfide Violaine! ô silence et profondeur de la femme!

Etes-vous donc tout à fait partie, mon âme?

M'ayant trompé, elle s'en va; et m'ayant détrompé, avec des paroles mortelles et douces.

Elle part, et moi, avec ce trait empoisonné, il va falloir

Que je vive et continue! comme la bête qu'on prend par la corne, lui tirant la tête de la crèche,

Comme le cheval qu'au soir on détache du palonnier en lui frappant sur la croupe!

O bœuf, c'est toi qui marches le premier, mais nous ne formons qu'un attelage à nous deux. Que le sillon soit fait seulement, c'est tout ce qu'on demande de nous.

C'est pourquoi tout ce qui n'est pas nécessaire à ma tâche, tout cela m'a été retiré.

ANNE VERCORS

Monsanvierge s'est éteint et le fruit de ton travrail est à toi seul.

JACQUES HURY

Il est vrai.

Silence.

ANNE VERCORS

A-t-on bien prévenu à la chapelle pour demain?

Y a-t-il à boire et à manger pour tous ceux que
nous aurons à traiter?

JACQUES HURY

Vieillard! C'est ta fille que l'on va mettre dans
la terre, et voilà ce que tu trouves à dire!

Certes tu ne l'as jamais aimée! Mais le vieillard,
comme l'avare qui se chauffe les mains après son
pot de braise dans son sein,

Il en a bien assez de lui-même tout seul.

ANNE VERCORS

Il faut que tout se fasse. Il faut que les choses
soient faites honorablement — Elisabeth, ma
femme, cœur caché!

Entre PIERRE DE CRAON.

ANNE VERCORS

Est-ce que tout est prêt?

PIERRE DE CRAON

On travaille au cercueil. On fait la fosse où vous
l'avez commandé,

Jouxtant l'église là-haut, près de celle du dernier chapelain, votre frère.

On a mis dedans cette terre que vous avez rap-
portée.

Un grand lierre noir
Sort de la tombe sacerdotale et traversant le mur
Pénètre jusque dans l'arche scellée.

— Demain au petit jour. Tout est prêt.

JACQUES HURY pleure, le visage dans son manteau. — On voit par l'allée une religieuse,
comme une femme qui cherche des fleurs.

ANNE VERCORS

Que cherchez-vous, ma sœur?

VOIX DE LA RELIGIEUSE, sourde et étouffée.

Des fleurs pour les lui mettre sur son cœur entre
ses mains.

ANNE VERCORS

Il n'y a pas de fleurs, il n'y a plus que des fruits.

JACQUES HURY, pleurant.

Ecartez les feuilles et l'on trouvera la dernière
violette!

Et la fleur Immortelle est encore en boutons,
et seuls nous restent le dahlia et la tête de pavot.

La Religieuse n'est plus là.

PIERRE DE CRAON

Les deux sœurs qui soignent les malades, l'une
toute jeune et l'autre très vieille.

L'ont parée et Mara a envoyé pour elle sa robe
de noces.

Certes ce n'était qu'une lépreuse, mais elle était
honorable auprès de Dieu.

Elle repose dans un sommeil profond

Comme celui qui sait à qui il s'est confié.

Je l'ai vue avant qu'on ne l'eût mise dans la
bière.

Son corps est resté souple.

Oh! tandis que la sœur qui achevait de la vêtir,
le bras autour de sa taille,

La maintenait assise, comme sa tête retombait
en arrière,

Telle que la perdrix encore chaude que le chas-
seur ramasse dans sa main!

ANNE VERCORS

Mon enfant! ma petite fille que je portais dans
mes bras avant qu'elle ne sût marcher!

La grosse petite fille qui se réveillait en riant
aux éclats dans son sabot de petit lit.

Tout cela est fini. Ah! ah! ô Dieu! hélas!

PIERRE DE CRAON

Ne voulez-vous point la revoir avant que l'on
cloue le couvercle?

ANNE VERCORS

Non. L'enfant renié s'en va furtivement.

JACQUES HURY

Je ne reverrai plus son visage en cette vie.

> PIERRE DE CRAON s'assied à la gauche
> d'ANNE VERCORS. Longue pause. Bruit
> d'un marteau sur les planches. Ils demeurent
> en silence écoutant.
> On voit passer par le côté de la scène MARA,
> tenant un enfant entre les bras enveloppé d'un
> châle noir. Puis elle rentre lentement par le
> fond et vient se placer en face du banc où sont
> assis les trois hommes.
> Ils tiennent les yeux sur elle, sauf JACQUES
> HURY, qui regarde la terre.

MARA, la tête baissée.

Salut, mon père! Je vous salue tous.

Vous tenez les yeux sur moi et je sais ce que vous pensez : « Violaine est morte.

« Le beau fruit mûr, le bon fruit doré,

« S'est détaché de la branche, et, seule, amère au-dehors, dure au-dedans comme la pierre,

« Nous reste la noix hivernale. » Qui m'aime? Qui m'a jamais aimée?

Elle relève la tête d'un air sauvage.

Eh bien! me voici! qu'avez-vous à me dire? Dites tout! Qu'avez-vous à me reprocher?

Qu'avez-vous à me regarder ainsi avec ces yeux qui disent : C'est toi! — Cela est vrai, c'est moi!

Cela est vrai, c'est moi qui l'ai tuée.

C'est moi qui l'ai prise par la main, l'autre nuit, étant allée la retrouver,

Durant que Jacques n'était pas là,

Et qui l'ai fait choir dans la sablonnière et qui ai culbuté sur elle

Cette charrette toute chargée. Tout était prêt, il n'y avait qu'une cheville à retirer.

J'ai fait cela. *BoiT*

Jacques! et c'est moi aussi qui ai dit à la mère,

Violaine, de lui parler, ce jour que tu es revenu de Braine.

Car je désirais ardemment t'épouser, et autrement j'étais décidée à me pendre le jour de vos noces.

Or Dieu qui voit les cœurs avait permis déjà
qu'elle prît la lèpre.

— Mais Jacques ne cessait de penser à elle. C'est
pourquoi je l'ai tuée.

Quoi donc? que restait-il d'autre à faire? que fallait-il faire de plus

Pour que celui que j'aime et qui est à moi

Fût à moi, comme je suis à lui tout entier.

Et que Violaine fût exclue?

J'ai fait ce que j'ai pu.

Et vous à votre tour, répondez! Votre Violaine
que vous aimiez,

Comment donc est-ce que vous l'avez aimée, et
lequel a valu le mieux,

De votre amour croyez-vous, ou de ma haine?

Vous l'aimiez tous! et voici son père qui l'abandonne et sa mère qui la conseille,

Et son fiancé, comme il a cru en elle!

Certes vous l'aimiez,

Comme on dit que l'on aime une douce bête, une
jolie fleur, et c'était là toute l'amitié de votre
amour.

Le mien était d'une autre nature;

Aveugle, ne lâchant point prise, comme une
chose sourde et qui n'entend pas!

Afin qu'il m'ait tout entière il me fallait l'avoir
tout entier!

Qu'ai-je fait après tout pour me défendre? qui
lui a été le plus fidèle, de moi ou de Violaine?

De Violaine qui l'a trahie pour je ne sais quel

lépreux, cédant, dit-elle, au conseil de Dieu en un baiser?

J'honore Dieu. Qu'il reste où il est! Notre malheureuse vie est si courte! Qu'il nous y laisse la paix.

Est-ce ma faute si j'aimais Jacques? était-ce pour ma joie, ou pour la dévoration de mon âme?

Comment pouvais-je faire pour me défendre, moi qui ne suis point belle, ni agréable, pauvre femme qui ne puis donner que de la douleur?

C'est pourquoi je l'ai tuée dans mon désespoir!

O pauvre crime maladroit! O disgrâce de celle qu'on n'aime pas et à qui rien ne réussit! Comment fallait-il faire puisque je l'aimais et qu'il ne m'aimait pas?

Elle se tourne vers JACQUES.

Et toi, ô Jacques, pourquoi ne dis-tu rien?

Pourquoi tournes-tu ainsi le visage vers la terre sans mot dire.

Comme Violaine, le jour où tu l'accusais injustement?

Ne me reconnais-tu pas? Je suis ta femme.

Certes je sais que je ne te parais point belle ni agréable, mais vois, je me suis parée pour toi, j'ai ajouté à cette douleur que je puis te donner! cette douleur, il n'y a que moi qui puisse te la donner. Et je suis la sœur de Violaine.

Il naît de la douleur! Cet amour ne naît point de la joie, il naît de la douleur! cette douleur qui suffit à ceux qui n'ont point la joie!

Nul n'a plaisir à la voir, ah, ce n'est point la fleur en sa saison,

Mais ce qu'il y a sous les fleurs qui se fanent, la terre même, l'avare terre sous l'herbe, la terre qui ne manque jamais!

Reconnais-moi donc!

Je suis ta femme et tu ne peux pas faire que je ne le sois point!

Une seule chair inséparable, le contact par le centre et l'âme, et la confirmation, cette parenté mystérieuse entre nous deux,

Qui est que j'ai eu un enfant de toi.

J'ai commis un grand crime, j'ai tué ma sœur; mais je n'ai point péché contre toi. Et je dis que tu ne peux rien me reprocher. Et que m'importent les autres?

Voilà ce que j'avais à dire, et maintenant fais ce que tu voudras.

Silence.

ANNE VERCORS

Ce qu'elle dit est vrai. Va, Jacques, pardonne-lui!

JACQUES HURY

Viens donc, Mara.

> Elle s'approche et se tient debout devant eux, formant avec son enfant un seul objet sur lequel les deux hommes étendent en même temps la main droite. Leurs bras s'entrecroisent et la main de JACQUES est posée sur la tête de l'enfant, celle d'ANNE sur la tête de MARA.

JACQUES HURY

C'est Violaine qui te pardonne. C'est en elle, Mara, que je te pardonne. C'est elle, femme criminelle, qui nous garde réunis.

MARA

Hélas! Hélas! paroles mortes et sans trait!

O Jacques, je ne suis plus la même! Il y a en moi quelque chose de fini. N'aie pas peur. Tout cela m'est égal.

Il y a quelque chose de rompu en moi, et je reste sans force, comme une femme veuve et sans enfants.

> *L'enfant rit vaguement et regarde de tous côtés en poussant de petits cris de joie.*

ANNE VERCORS, le caressant.

Pauvre Violaine!

Et toi que voici, petit enfant! Comme ses yeux sont bleus!

MARA, fondant en larmes.

Père, père! ah!

Il était mort et c'est elle qui l'a ressuscité!

> *Elle s'éloigne et va s'asseoir à l'écart.*
> *Le soleil descend. Il pleut çà et là sur la plaine, on voit la pluie dont les traits se croisent avec les rayons du soleil. Un immense arc-en-ciel se déploie.*

VOIX D'ENFANT

Hi! hi! regardez la belle arc-en-ciel!

Autres voix perdues. On voit voler de grandes
bandes de pigeons qui tournent, s'éparpillent
et s'abattent çà et là dans les éteules.

ANNE VERCORS

La terre est libérée. La place est vide.

Toute la moisson est rentrée et les oiseaux du
ciel

Picorent le grain perdu.

PIERRE DE CRAON

L'été est fini, la saison suspend avertissement,
le feuillage universel

Frémit sous le souffle de septembre.

Le ciel est redevenu bleu, et tandis que les perdrix rappellent sous le couvert,

La buse plane dans l'air liquide.

JACQUES HURY

Tout est à vous, Père! reprenez tout ce bien dont
vous m'avez saisi.

ANNE VERCORS

Non, Jacques, je n'ai plus rien et ceci n'est plus
à moi. Qui est parti ne reviendra pas et ce qui est
donné une fois ne peut être

Repris. Voici un Combernon, un Monsanvierge
nouveaux.

PIERRE DE CRAON

L'autre est mort. La montagne vierge est morte
et la cicatrice à son flanc ne se rouvrira plus.

ANNE VERCORS

Elle est morte. Ma femme aussi
Est morte, ma fille est morte, la sainte Pucelle
A été brûlée et jetée au vent, pas un de ses os
ne reste à la terre.

Mais le Roi et le Pontife de nouveau sont rendus
à la France et à l'Univers.

Le schisme prend fin, de nouveau s'élève au-
dessus de tous les hommes le Trône.

J'ai repassé par Rome, j'ai baisé le pied de saint
Pierre, j'ai mangé debout le pain bénit avec le
peuple des Quatre Parties de la Terre,

Tandis que les cloches du Quirinal et du Latran
et la voix de Sainte-Marie-Majeure

Saluaient les ambassadeurs de ces peuples nouveaux qui du Levant et du Couchant pénètrent à
la fois dans la Ville;

L'Asie retrouvée et ce monde Atlantique au-delà
des colonnes d'Hercule!

Et ce soir même quand sonnera l'Angélus, à cette
heure où l'étoile Al-Zohar brille dans le ciel
déblayé,

Commence cette année jubilaire que le Pape nouveau accorde,

Extinction des dettes, libération des prisonniers,
suspension de la guerre, fermeture des prétoires,
restitution de toute propriété.

PIERRE DE CRAON

Trêve d'une année et paix d'un jour tout seul.

ANNE VERCORS

Qu'importe! La paix est bonne, mais la guerre nous trouvera munis.

O Pierre! voici le temps où les femmes et les nouveau-nés en remontrent aux sages et aux vieillards!

Voici que je me suis scandalisé comme un Juif parce que la face de l'Eglise est obscurcie et parce qu'elle marche en chancelant son chemin dans l'abandon de tous les hommes.

Et j'ai voulu de nouveau me serrer contre le tombeau vide, mettre ma main dans le trou de la croix.

Mais ma petite fille Violaine a été plus sage.

Est-ce que le but de la vie est de vivre? est-ce que les pieds des enfants de Dieu seront attachés à cette terre misérable?

Il n'est pas de vivre, mais de mourir, et non point de charpenter la croix mais d'y monter, et de donner ce que nous avons en riant!

Là est la joie, là est la liberté, là la grâce, là la jeunesse éternelle! et vive Dieu si le sang du vieillard sur la nappe du sacrifice près de celui du jeune homme

Ne fait pas une tache aussi rouge, aussi fraîche que celui de l'agneau d'un seul an!

O Violaine! enfant de grâce! chair de ma chair! Aussi loin que le feu fumeux de ma ferme l'est de l'étoile du matin,

Quand cette belle vierge sur le sein du soleil pose sa tête illuminée,

Puisse ton père tout en haut te voir pour l'éternité à cette place qui t'a été réservée!

Vive Dieu si où passe ce petit enfant le père ne passe aussi!

De quel prix est le monde auprès de la vie? et de quel prix la vie, sinon pour la donner?

Et pourquoi se tourmenter quand il est simple d'obéir?

C'est ainsi que Violaine aussitôt toute prompte suit la main qui prend la sienne.

PIERRE DE CRAON

O père! C'est moi le dernier qui l'ai tenue dans mes bras, car elle se confiait en Pierre de Craon, sachant qu'il n'y a plus désir en son cœur de la chair.

Et le jeune corps de ce frère divin était entre mes bras comme un arbre coupé qui penche!

Déjà comme l'ardente couleur de la fleur de grenade de tous côtés se fait voir sous le bourgeon qui ne la peut plus enclore,

La splendeur de l'ange qui ne sait point la mort s'emparait de notre petite sœur.

Et l'odeur du paradis entre mes bras s'exhalait de ce tabernacle brisé.

Ne pleure point, Jacques, mon ami.

ANNE VERCORS

Ne pleure point, mon fils.

JACQUES HURY

Pierre, rends-moi cet anneau qu'elle t'a donné.

PIERRE DE CRAON

Je ne le peux plus! Pas plus que l'épi complet ne peut rendre
Le grain dans la terre d'où sort sa tige.
De cette miette d'or j'ai fait une gemme embrasée.
Et le vaisseau de ce jour sans conchant où le froment éternel est déposé.
Justifia est finie et seule la femme encore lui manquait
Que je mettrai à la fleur de mon lys suprême.

ANNE VERCORS

Tu es puissant en œuvres, Pierre, et j'ai vu sur mon chemin les églises que tu as enfantées.

PIERRE DE CRAON

Béni soit Dieu qui a fait de moi un père d'églises,
Et qui a mis l'intelligence dans mon cœur et le sens des trois dimensions :
Et qui m'a interdit comme un lépreux et libéré de tout souci temporel,
Afin que de la terre de France je suscite Dix Vierges Sages dont l'huile ne s'éteint pas, et compose un vase de prières!
Qu'est cette *âme* ou cheville de bois que le luthier insère entre la face et le dos de son instrument,
Auprès de cette grande lyre enfermée et de ces Puissances columnaires dans la nuit dont j'ai calculé le nombre et la distance?

Je ne taille point du dehors un simulacre.

Mais comme le père Noé, du milieu de mon Arche énorme,

Je travaille au-dedans et de partout vois tout qui monte à la fois!

Et qu'est-ce qu'un corps à sculpter au prix d'une âme à enclore

Et de ce vide sacré que laisse le cœur révérend qui se retire de devant son Dieu?

Rien n'est trop profond pour moi : mes puits percent jusqu'aux eaux de la Veine-mère.

Rien n'est trop élevé pour la flèche qui monte au ciel et dérobe à Dieu la foudre!

Pierre de Craon mourra, mais les Dix Vierges ses filles

Demeureront comme le vaisseau de la Veuve

Où se renouvelle sans cesse la farine, et la mesure sacrée de l'huile et du vin.

ANNE VERCORS

Oui, Pierre. Qui se confie à la pierre ne sera pas déçu.

PIERRE DE CRAON

O que la pierre est belle et qu'elle est douce aux mains de l'architecte! et que le poids de son œuvre tout ensemble est une chose juste et belle!

Qu'elle est fidèle, et comme elle garde l'idée, et quelles ombres elle fait!

Et qu'une vigne fait bien sur le moindre mur, et le rosier dessus quand il est en fleurs,

Qu'il est beau, et que c'est réel ensemble!

Avez-vous vu ma petite église de l'Epine qui est comme un brasier ardent et un buisson de roses épanouies?

Et Saint-Jean de Vertus comme un beau jeune homme au milieu de la craie Champenoise? Et Mont-Saint-Martin qui sera mûr dans cinquante ans?

Et Saint-Thomas de Fond-d'Ardenne qu'on entend le soir appeler comme un taureau du milieu de ses marécages?

Mais Justitia que j'ai faite la dernière, Justitia ma fille est plus belle!

ANNE VERCORS

J'irai y faire ex-voto de mon bâton.

PIERRE DE CRAON

Elle-même est dédiée dans mon cœur, rien n'y manque plus, elle ne fait plus qu'un morceau.

Et pour le faîte,

J'ai trouvé la pierre que je cherchais, non détachée par le fer,

Plus douce que l'albâtre et d'un grain plus serré que la meule.

Comme les frêles os de la petite Justitia servent de base à mon grand édifice,

C'est ainsi qu'à ton sommet en plein ciel je mettrai cette autre Justice,

Violaine la lépreuse dans la gloire, Violaine l'aveugle dans le regard de tous.

Et je la représenterai les mains croisées sur la

poitrine, comme l'épi encore à demi prisonnier de
ses téguments,

Et les deux yeux bandés.

ANNE VERCORS

Pourquoi les yeux bandés?

PIERRE DE CRAON

Afin qu'elle écoute mieux, ne voyant pas,

Le bruit de la ville et des champs, et la voix de
l'homme avec la voix de Dieu en même temps.

Car elle est Justice elle-même qui écoute et
conçoit dans son cœur le juste accord.

La voici qui est un refuge contre l'intempérie et
un ombrage contre la canicule.

JACQUES HURY

Mais Violaine n'est pas une pierre pour moi et
la pierre ne me suffit pas!

Et je ne veux pas que la lumière de ses yeux si
beaux soit couverte!

ANNE VERCORS

Celle de son âme est avec nous. Je ne t'ai pas
perdue, Violaine! Que tu es belle, mon enfant!

Et que la fiancée est belle quand au jour de ses
noces, elle se montre à son père dans sa robe magnifique, avec un charmant embarras.

Marche devant, Violaine, mon enfant, et je te
suivrai. Mais tourne parfois le visage vers moi, afin
que je voie tes yeux!

Violaine! Elisabeth! bientôt je suis de nouveau avec vous!

Pour toi, Jacques, fais ta tâche, comme j'ai fait la mienne, à ton tour! La fin est proche,

La voici qui m'est donnée, du jour, et de l'année et de la vie!

Il est six heures. L'ombre du Grès-qui-va-boire atteint le ruisseau.

L'hiver vient, la nuit vient. Un peu de nuit maintenant,

Cette courte veille encore!

Toute ma vie j'ai travaillé avec le Soleil et je l'ai aidée à sa tâche.

Mais maintenant, tout seul, il me faut commencer la nuit,

A la chaleur du feu, à la clarté de la lampe.

PIERRE DE CRAON

O agriculteur, ton œuvre est achevée. Vois la campagne vide, vois la terre moissonnée et déjà la charrue entame l'éteule!

Et maintenant ce que tu as commencé, c'est à moi de le parfaire.

Comme tu as ouvert le sillon, je creuse le silo, je prépare le tabernacle.

Et comme ce n'est pas toi qui mûris la moisson, mais le soleil, ainsi la grâce.

Et nul s'il ne sort du grain ne sera de l'épi.

Et certes Justice est belle. Mais combien plus beau

Cet arbre fructifiant de tous les hommes que la

semence eucharistique engendre en sa végétation.

Cela fait une seule figure qui tient à un même point.

Ah. si tous les hommes comme moi comprenaient l'architecture.

Qui voudrait

Faillir à sa nécessité et à cette place sacrée que le Temple lui assigne?

ANNE VERCORS

Pierre de Craon, tu as beaucoup de pensées, mais pour moi ce soleil me suffit qui va s'éteindre.

Toute ma vie j'ai fait la même chose que lui, la culture de la terre, me levant et rentrant avec lui.

Et maintenant j'entre dans la nuit et elle ne me fait pas peur, et je sais que là aussi tout est clair et réglé, en la saison de ce grand hiver céleste qui met toute chose en mouvement

Le ciel de la nuit où tout est travail et qui est comme un grand labour, et une pièce d'un seul tenant,

Et le Colon éternel y pousse les Sept Bœufs l'œil fixé sur une étoile immuable,

Comme nous autres sur la branche verte qui marque le bout du sillon.

Le soleil et moi, côte à côte,

Nous avons travaillé, et ce qui sort de notre travail ne nous regarde pas. Le mien est fait.

Je me suis uni à la nécessité et maintenant je voudrais m'y dissoudre.

La paix, pour qui la connaît, la joie

Et la douleur y entrent pour des parts égales.

Ma femme est morte. Violaine est morte. Cela est bien.

Je ne désire plus tenir cette frêle vieille main ridée. Et pour Violaine, à huit ans, quand elle venait se jeter contre mes jambes,

Comme j'aimais ce petit corps robuste! Et peu à peu l'impétueuse gaminerie de la rieuse

S'était fondue dans l'attendrissement de la jeune fille, dans la peine et le poids de l'amour, et déjà quand je suis parti,

Je voyais dans ses yeux parmi les fleurs de ce printemps s'en lever une inconnue.

PIERRE DE CRAON

La vocation de la mort comme un lys solennel.

ANNE VERCORS

Bénie soit la mort en qui toute pétition du *Pater* est comblée.

PIERRE DE CRAON

Pour moi c'est dès cette vie que d'elle-même et de ses lèvres innocentes

J'ai reçu libération et congé.

> Le soleil est dans la partie gauche du ciel, à la hauteur d'un grand arbre.

ANNE VERCORS

Voici le soleil dans le ciel,

Comme il est sur les images quand le Maître réveille l'ouvrier de la Onzième Heure.

> On entend craquer la porte de la grange.

JACQUES HURY

Qu'est-ce que cela?

ANNE VERCORS

C'est la paille qu'on va chercher dans la grange
Pour mettre au fond de la fosse.

Silence. Bruit de battoir au loin.

VOIX D'ENFANT AU-DEHORS

Marguerite de Paris!
Prête-moi tes souliers gris!
Pour aller en paradis!
Qu'i fait beau!
Qu'i fait chaud!
J'entends le petit oiseau!
Qui fait pi i i i!

JACQUES HURY

Ce n'est point la porte de la grange, c'est le cri
de la tombe qui s'ouvre!

Et m'ayant regardé de ses yeux aveugles celle
que j'aimais passe de l'autre côté.

Et moi aussi je l'ai regardée comme un aveugle
et sans preuves je n'ai point douté,

Je n'ai point douté de celle qui l'accusait.

J'ai fait mon choix, et celle que j'ai choisie,

Elle m'a été donnée. Que dirais-je? Cela est bien
ainsi.

Cela est bien ainsi.

Le bonheur n'est point pour moi, mais le désir!
il ne me sera pas arraché.

Et non point Violaine radieuse et intacte,
Mais la lépreuse au-dessus de moi penchée avec
un amer sourire et la plaie dévorante à son côté!

>   Silence.

> Le soleil est derrière les arbres. Il brille à tra-
> vers les branches. Le dessin des feuilles couvre la
> terre et les personnages assis. Çà et là une
> abeille d'or brille dans un trou de la lumière.

ANNE VERCORS

Me voici assis, et du haut de la montagne je vois
tout le pays à mes pieds.

Et je reconnais les routes, et je compte les fermes
et les villages, et je les connais par leurs noms et
tous les gens qui y habitent.

La plaine par cette échappée à perte de vue vers
le nord!

Et ailleurs, se relevant, la côte autour de ce vil-
lage forme comme un théâtre.

Et partout, à tout moment,

Verte et rose au printemps, bleue et blonde l'été,
brune l'hiver ou toute blanche sous la neige,

Devant moi, à mon côté, autour de moi,

Je ne cesse point de voir la Terre, comme un
ciel fixe tout peint de couleurs changeantes.

Celle-ci ayant une forme aussi particulière que
quelqu'un est toujours là avec moi présent.

Maintenant c'est fini.

Que de fois ne suis-je pas sorti de mon lit, allant
à mon ouvrage!

Et maintenant voici le soir, et le soleil ramène les hommes et les animaux comme avec une main.

> Il se lève lentement et péniblement, et étend len- tement les bras de toute leur longueur, tandis que le soleil devenu jaune le couvre.

Ah! ah!

Voici que j'étends les bras dans les rayons de soleil, comme un tailleur qui mesure l'étoffe.

Voici le soir! Aie pitié de tout homme, Seigneur, à ce moment qu'ayant fini sa tâche il se tient devant toi comme un enfant dont on examine les mains.

Les miennes sont quittes. J'ai fini ma journée! J'ai semé le blé et je l'ai moissonné, et dans ce pain que j'ai fait tous mes enfants ont communié.

A présent j'ai fini.

Tout à l'heure il y avait quelqu'un avec moi.

Et maintenant la femme et l'enfant s'étant reti- rées,

Je reste seul pour dire grâces devant la table desservie

Toutes deux sont mortes, mais moi

Je vis, sur le seuil de la mort et une joie inexpli- cable est en moi!

> L'Angélus sonne à l'église d'en bas. Premier coup de trois tintements.

JACQUES HURY, sourdement.

L'Ange de Dieu nous avertit de la paix et l'en- fant tressaille dans le sein de sa mère.

> Deuxième coup.

PIERRE DE CRAON

« Hommes de peu de foi, pourquoi pleurez-vous? »

Troisième coup.

ANNE VERCORS

« Parce que je vais à mon père et à votre père. »

Profond silence. Puis, volée.

PIERRE DE CRAON

Ainsi parle l'Angélus comme avec trois voix, ainsi en mai,

Quand l'homme non marié s'en revient, ayant enterré sa mère, chez lui,

« Voix-de-la-Rose » cause dans le soir d'argent.

O Violaine! ô femme par qui vient la tentation!

— Car ne sachant encore ce que je ferais, j'ai regardé où tu fixais le noir des yeux.

Certes j'ai toujours pensé que c'était une bonne chose que la joie.

Mais maintenant j'ai tout!

Je possède tout sous les mains, et je puis comme quelqu'un qui, voyant un arbre chargé de fruits,

Etant monté sur l'échelle, il sent plier sous son corps le profond branchage.

Il faut que je parle sous l'arbre, comme la flûte qui n'est ni basse ni aiguë! Comme l'eau

Me soulève! L'action de grâces descelle la pierre de mon cœur!

Que je vive ainsi! Que je grandisse ainsi mélangé à mon Dieu, comme la vigne et l'olivier.

> Le soleil se couche. — MARA tourne la tête vers
> son mari et le regarde.

JACQUES HURY

La voici qui me regarde. La voici qui revient
vers moi avec la nuit!

> Son d'une cloche fêlée tout près. — Premier
> coup.

ANNE VERCORS

C'est la petite cloche des sœurs qui sonne l'Angélus à son tour.

> Silence. Puis on entend une autre cloche très
> haut, Monsanvierge. qui sonne la triple note à
> son tour, admirablement sonore et solennelle.

JACQUES HURY

Ecoutez!

PIERRE DE CRAON

Miracle!

ANNE VERCORS

C'est Monsanvierge qui ressuscite! L'Ange reten-
tissant une fois encore
Aux cieux et à la terre attentifs fait l'annonce
accoutumée.

PIERRE DE CRAON

Oui, Voix-de-la-Rose, Dieu est né!

> Second coup de la cloche des sœurs. Elle frappe
> la troisième note en même temps que Monsan-
> vierge la première.

ANNE VERCORS

Dieu s'est fait homme!

JACQUES HURY

Il est mort!

PIERRE DE CRAON

Il est ressuscité!

> Troisième coup de la cloche des sœurs. **Puis**
> volée.
> Pause. Puis on entend, perdue et presque indis-
> tincte, la triple note du troisième coup dans les
> hauteurs.

ANNE VERCORS

Ce n'est point le coup de l'Angélus, c'est la son-
nerie de la communion!

PIERRE DE CRAON

Les trois notes comme un sacrifice ineffable sont
recueillies dans le sein de la Vierge sans péché.

> Ils gardent tous le visage tourné en haut, prêtant
> l'oreille et comme attendant la volée, qui ne
> vient point.

EXPLICIT

ACTE IV

SCÈNE PREMIÈRE

La seconde partie de la nuit. La salle du premier acte. Dans la cheminée les charbons jet-
tent une faible lueur. Au milieu, une longue
table sur laquelle une nappe étroite dont les pans
retombent également des deux côtés. La porte
est ouverte à deux battants, découvrant la nuit
étoilée. Un flambeau allumé est posé au milieu de la table.

Entre JACQUES HURY, comme s'il cherchait
quelqu'un. Il sort et ramène MARA par le bras.

JACQUES HURY

Que fais-tu là?

MARA

Il me semblait que j'entendais un bruit de char
là-bas en bas dans la vallée.

JACQUES HURY, prêtant l'oreille.

Je n'entends rien.

MARA

C'est vrai, tu n'entends rien. Mais moi, j'ai l'oreille vivante et le jas de l'œil ouvert.

JACQUES HURY

Tu ferais mieux de dormir.

MARA

Dis, toi-même, tu ne dors pas toujours si bien.

JACQUES HURY

Je pense, j'essaie de comprendre.

MARA

— Qu'est-ce que tu essaies de comprendre?

JACQUES HURY

Aubaine. Cette enfant malade et qui allait mourir. Et un beau jour, je rentre, et on me dit que tu t'es sauvée avec elle comme une folle.

C'était le temps de Noël. Et le jour des Innocents, la voilà qui revient avec l'enfant. Guérie! Guérie. Elle était guérie.

MARA

C'est un miracle.

JACQUES HURY

Oui. Tantôt c'est la Sainte Vierge, si on te croyait, et tantôt c'est je ne sais quelle âme sainte quelque part qui a fait le miracle.

MARA

Ni l'un ni l'autre. C'est moi qui ai fait le miracle.

En sursaut.

Ecoute!

Ils prêtent l'oreille.

JACQUES HURY

Je n'entends rien.

MARA, frissonnante.

Ferme cette porte. C'est gênant!

Il pousse la porte.

JACQUES HURY

Ce qu'il y a de sûr est que la figure maintenant ne ressemble pas la même.

La même bien sûr et pas la même. Les yeux par exemple, c'est changé.

MARA

Dis, mon malin, tu as remarqué cela tout seul?

Voilà ce qui arrive quand le Bon Dieu se mêle de nos affaires.

Et toi, mêle-toi des tiennes!

Violemment.

Et qu'est-ce qu'il a donc à regarder tout le temps c'te porte?

JACQUES HURY

C'est toi qui ne cesses pas de l'écouter.

MARA

J'attends.

JACQUES HURY

J'attends qui? j'attends quoi?

MARA

J'attends mon père!

Mon père, Anne Vercors, qui est parti, il y a sept ans!

Ma parole, je crois qu'il l'a déjà oublié!

Ce vieux bonhomme, tu te rappelles? Anne Vercors qu'on l'appelait.

Tout de même, le maître de Combernon, ça n'a pas toujours été Jacques Hury.

JACQUES HURY

Bien! S'il revient, il retrouvera les terres en bon état.

MARA

Et la maison de même. Sept ans déjà qu'il est parti.

A voix basse.

Je l'entends qui revient.

JACQUES HURY

On ne revient pas beaucoup de Terre sainte.

MARA

Et s'il était vivant, depuis sept ans il aurait trouvé moyen de nous donner de ses nouvelles.

JACQUES HURY

C'est loin, la Terre sainte, faut passer la mer.

MARA

Il y a les pirates, il y a les Turcs, il y a les accidents, il y a la maladie, il y a les mauvaises gens.

JACQUES HURY

Même ici on n'entend parler que de malfaisance.

MARA

Cette femme par exemple qu'on me dit qu'on vient de la retrouver au fond d'un trou à sable.

JACQUES HURY

Quelle femme?

MARA

Là-bas. Une lépreuse qu'on dit.

Peut-être c'est-i que c'est qu'elle y est tombée toute seule.

Qu'est-ce qu'elle faisait à se promener? Tant pis pour elle!

Et peut-être tout de même qu'on l'a poussée. Quelqu'un.

JACQUES HURY

Une lépreuse?

MARA

Ah! ah! cela te fait dresser l'oreille? Rien qu'une petite lèpre, on dit que ça fait mal aux yeux. Et quand on ne voit pas clair, faut pas se promener.

Et tout le monde, on n'aime pas ce voisinage-là, peut-être bien! Un accident est bientôt arrivé.

JACQUES HURY

Tout de même, si le père revient, c'est pas sûr qu'il soit tellement contenté.

MARA

Mara! qu'il dira tout de suite. C'est Mara qu'il aimait le mieux.

Quel bonheur de savoir que c'est elle à la fin qui a attrapé Monsieur Jacques!

Et qu'elle dort toutes les nuits à son côté comme une épée nue.

JACQUES HURY

Et sa fille, sa petite fille, est-ce qu'il ne sera pas content de l'embrasser?

MARA

« Quelle belle enfant! dira-t-il. Et quels jolis yeux bleus! Cela me rappelle quelque chose! »

JACQUES HURY, comme s'il parlait à la place du père.

« Et la mère, où est-elle? »

MARA, avec une révérence.

Pas ici pour le moment, Monseigneur! Dame, quand on va à Jérusalem, faut pas s'attendre à retrouver tout le monde! C'est long, sept ans!

C'est Mara maintenant qui occupe sa place au coin du feu.

JACQUES HURY, comme précédemment.

Bonjour, Mara!

MARA

Bonjour, père!

> ANNE VERCORS pendant ce temps est entré par
> le côté de la scène et se trouve derrière eux. Il
> porte le corps de VIOLAINE entre ses bras.

Bonjour, Jacques!

SCÈNE II

ANNE VERCORS fait le tour de la table et va se placer
derrière elle à la place où se trouve la cathèdre. Il les
regarde l'un après l'autre.

Bonjour, Mara!

> Elle ne répond rien.

JACQUES HURY

Père! quelle est cette chose dans votre manteau
que vous nous apportez?

Et qu'est-ce que c'est que ce corps mort entre
vos bras?

ANNE VERCORS

Aide-moi à l'étendre tout du long sur cette table.
Doucement, doucement, mon petit!

> Ils étendent le corps sur la table et ANNE VER-
> CORS le recouvre de son manteau.

La voilà! c'est elle! c'est la table où je vous ai
rompu le pain à tous, le jour de mon départ.

Bonjour, Jacques! Bonjour, Mara! Tous deux
sont là à ma place et mon royaume en leur personne continue,

La terre sur qui d'un bout à l'autre, comme un grand peuplier

Tantôt plus longue et tantôt se raccourcissant,
S'étend l'ombre d'Anne Vercors.

Et pour ce qui est de la mère, j'ai entendu,

Et je sais qu'elle m'attend en ce lieu où je ne serai pas long à la rejoindre.

JACQUES HURY

Père! Je vous demande quelle est cette chose que vous nous avez apportée entre les bras,

Et quel est ce corps mort qui se trouve là étendu sur cette table?

ANNE VERCORS

Non point mort, Jacques, non point mort tout à fait. Ne vois-tu pas qu'elle respire?

JACQUES HURY

Père, qui est-ce?

ANNE VERCORS

Quelque chose que j'ai trouvé sur mon chemin hier dans un grand trou à sable.

J'ai entendu cette voix qui m'appelait faiblement.

JACQUES HURY

Une lépreuse, n'est-ce pas?

ANNE VERCORS

Une lépreuse. Qui te l'a dit? Tu savais cela déjà? C'est Mara sans doute qui te l'a dit.

JACQUES HURY

Et pourrais-je vous demander pourquoi vous me rapportez dans cette honnête maison qui est la tienne, une lépreuse?

ANNE VERCORS

Veux-tu nous mettre à la porte tous les deux?

C'est elle qui me l'a demandé, la bouche contre mon oreille,

De l'apporter ici. De la rapporter ici.

Elle peut parler encore. Mais hélas! que sont-ils devenus, ces beaux yeux de Violaine, mon enfant! Ils ne sont plus.

JACQUES HURY

Et est-ce qu'elle entend ce que nous disons?

ANNE VERCORS

Je ne sais pas. Elle demande la paix. Elle demande que tu ne sois plus en colère contre elle. Et Mara aussi, si elle est en colère.

> *Il regarde* VIOLAINE *étendue.*

Je demande pardon.

JACQUES HURY

Je ne suis pas en colère.

ANNE VERCORS

Ses yeux, pauvre enfant! elle n'a plus d'yeux! Mais le cœur bat encore.

Faiblement, faiblement!

Toute la nuit j'ai entendu le cœur de mon

enfant qui battait contre le mien et elle essayait
de me serrer fort contre elle,

Faiblement, faiblement!

Et le cœur de temps en temps s'arrêtait et puis
il reprenait sa petite course blessée.

Pan, pan, pan! pan, pan, pan! Père! Père!

JACQUES HURY

Et est-ce qu'elle vous a parlé de moi aussi?

ANNE VERCORS

Oui, Jacques.

JACQUES HURY

Et de cet autre aussi... Elle était ma fiancée!...
je dis cet autre un matin de mai...

ANNE VERCORS

De qui veux-tu parler?

JACQUES HURY

Pierre de Craon! Ce ladre, ce mésel! ce voleur!
Ce maçon, il y a sept ans, qui était venu pour
ouvrir le flanc de Monsanvierge!

Silence.

ANNE VERCORS

Il n'y a pas eu de péché entre Violaine et Pierre.

JACQUES HURY

Et que dites-vous de ce chaste baiser qu'elle a
échangé avec lui un matin de mai?

Silence.

ANNE VERCORS fait lentement un signe négatif
avec la tête.

JACQUES HURY va chercher MARA en la
tirant par le poignet et il lui fait lever la main
droite.

Un matin de mai! Mara jure qu'un matin de mai,
s'étant levée de bonne heure;

Elle a vu cette Violaine ici présente qui baisait
tendrement ce Pierre de Craon sur la bouche.

Silence.

ANNE VERCORS

Je dis non.

JACQUES HURY

Et alors, votre Mara, elle a menti?

ANNE VERCORS

Elle n'a pas menti.

JACQUES HURY

Moi, moi, moi, son fiancé! elle n'avait jamais
permis que je la touche!

ANNE VERCORS

J'ai vu Pierre de Craon à Jérusalem. Il était
guéri.

JACQUES HURY

Guéri?

ANNE VERCORS

Guéri. Et c'est pour cela précisément qu'il était
allé là-bas en accomplissement de son vœu.

JACQUES HURY

Il est guéri, et moi je suis damné!

ANNE VERCORS

Et c'est pour te guérir aussi, Jacques mon enfant,
que je suis venu t'apporter ces reliques vivantes.

JACQUES HURY

Père! père! j'avais une enfant aussi qui était près
de mourir,
Aubaine, qu'elle s'appelle,
Et voilà qu'elle a été guérie!

Geste de ANNE VERCORS.

Grâce à Dieu!

JACQUES HURY

Mais cette bouche, cette bouche de votre fille,
cette bouche que vous m'aviez donnée, cette fille
que vous m'aviez donnée. Cette bouche, elle n'était
pas à elle, elle est à moi! Je dis cette bouche et le
souffle de vie qu'il y a entre les lèvres!

ANNE VERCORS

La bouche de la femme, avant l'homme elle est
à Dieu, qui au jour du baptême l'a salée de sel.
Et c'est à Dieu seul qu'elle dit : Qu'Il me baise
d'un baiser de Sa bouche!

JACQUES HURY

Elle ne s'appartenait plus! Je lui avais donné
mon anneau!

ANNE VERCORS

Regarde-le qui brille à son doigt.

JACQUES HURY, stupéfait.

C'est vrai!

ANNE VERCORS

C'est Pierre de Craon là-bas qui me l'a remis et je l'ai replacé au doigt de la donatrice.

JACQUES HURY

Et le mien, n'est-ce pas c'est ce que vous pensez, il fait la paire avec celui de Mara!

ANNE VERCORS

Respecte-le davantage.

JACQUES HURY

Un matin de mai! Père! père! tout riait autour d'elle! Elle l'aimait, et je l'aimais. Tout était à elle et je lui avais tout donné!

ANNE VERCORS

Jacques, mon enfant! écoute, comprends! C'était trop beau! ce n'était pas acceptable.

JACQUES HURY

Que voulez-vous dire?

ANNE VERCORS

Jacques, mon enfant! le même appel que le père a entendu, la fille aussi, elle lui a prêté l'oreille!

JACQUES HURY

Quel appel?

ANNE VERCORS, comme s'il récitait.

*L'Ange de Dieu a annoncé à Marie et **elle** a conçu de l'Esprit-Saint.*

JACQUES HURY

Qu'est-ce qu'elle a conçu?

ANNE VERCORS

Toute la grande douleur de ce monde autour d'elle, et l'Eglise coupée en deux, et la France pour qui Jeanne a été brûlée vive elle l'a vue! Et c'est pourquoi elle a baisé ce lépreux, sur la bouche, sachant ce qu'elle faisait.

JACQUES HURY

Une seconde! en une seconde elle a décidé cela?

ANNE VERCORS

Voici la servante du Seigneur.

JACQUES HURY

Elle a sauvé le monde et je suis perdu!

ANNE VERCORS

Non Jacques n'est pas perdu, et Mara n'est pas perdue quand elle le voudrait, et Aubaine, elle est vivante!

Et rien n'est perdu, et la France n'est pas perdue, et voici que de la terre jusqu'au ciel bon gré, mal gré

D'espérance et de bénédiction se lève une poussée irrésistible!

Le Pape est à Rome et le Roi est sur son trône.

Et moi, je m'étais scandalisé comme un Juif,
parce que la face de l'Eglise est obscurcie, et parce
qu'elle marche en chancelant son chemin dans
l'abandon de tous les hommes.

Et j'ai voulu de nouveau me serrer contre le tombeau vide, mettre ma main dans le trou de la croix,
comme cet apôtre dans celui des mains et des pieds
et du cœur.

Mais ma petite fille Violaine a été plus sage!

Est-ce que le but de la vie est de vivre? est-ce
que les pieds des enfants de Dieu sont attachés à
cette terre misérable?

Il n'est pas de vivre, mais de mourir! et non
point de charpenter la croix, mais d'y monter et de
donner ce que nous avons en riant!

Là est la joie, là est la liberté, là la grâce, là la
jeunesse éternelle! et vive Dieu si le sang du vieillard sur la nappe du sacrifice près de celui du jeune
homme

Ne fait pas une tache aussi rouge, aussi fraîche
que celui de l'agneau d'un seul an!

O Violaine! enfant de grâce! chair de ma chair!
Aussi loin que le feu fumeux de la ferme l'est de
l'étoile du matin,

Quand cette belle vierge sur le sein du soleil
pose sa tête illuminée,

Puisse ton père tout en haut pour l'éternité te
voir à cette place qui t'a été réservée!

Vive Dieu si où passe ce petit enfant le père ne passe pas aussi!

De quel prix est le monde auprès de la vie? et de quel prix la vie, sinon pour s'en servir et pour la donner?

Et pourquoi se tourmenter quand il est si simple d'obéir et que l'ordre est là?

C'est ainsi que Violaine toute prompte suit la main qui prend la sienne.

JACQUES HURY

O Violaine! ô cruelle Violaine! désir de mon âme, tu m'as trahi!

O détestable jardin! ô amour inutile et méprisé, jardin à la male heure planté!

Douce Violaine! perfide Violaine! ô silence et profondeur de la femme!

Est-ce que tu ne me diras rien? Est-ce que tu ne me réponds pas? est-ce que tu continueras de te taire?

M'ayant trompé avec des paroles perfides,

M'ayant trompé avec ce sourire amer et charmant

Elle s'en va où je ne puis la suivre.

Et moi, avec ce trait empoisonné dans le flanc,

Il va falloir que je vive et continue!

> Bruits de la ferme qui se réveille.

C'est l'alouette qui monte en haut
Qui prie Dieu pour qu'i fasse beau!
Pour son père et pour sa mère
Et pour ses petits patriaux!

ANNE VERCORS

Le jour se lève! J'entends la ferme qui se réveille
et toute la cavalerie de ma terre dans son pesant
harnachement quatre par quatre,

Ces lourds quadriges dont il est parlé dans la
Bible qui se préparent à l'évangile du soc et de la
gerbe.

> Il va ouvrir à deux battants la grande porte. Le
> jour pénètre à flots dans la salle.

JACQUES HURY

Père, regardez! regardez cette terre qui est à vous
et qui vous attendait, le sourire sur les lèvres!

Votre domaine, cet océan de sillons, jusques au
bout de la France! Il n'a pas démérité entre mes
mains!

La terre au moins, elle ne m'a pas trompé, et
moi non plus, je ne l'ai pas trompée, cette terre
fidèle, cette terre puissante! Il y a un homme à
Combernon! La foi jurée, le mariage qu'il y a entre
elle et moi, je l'ai respecté.

ANNE VERCORS

Ce n'est plus le temps de la moisson, c'est celui
des semailles. La terre assez longtemps nous a nour-
ris, et moi, il est temps que je la nourrisse à mon
tour

> Se retournant vers VIOLAINE.

De ce grain inestimable.

JACQUES HURY, se tordant les bras.

Violaine, Violaine! m'entends-tu, Violaine?

MARA. Elle s'avance violemment.

Elle n'entend pas! Votre voix ne porte pas jusqu'à elle! Mais moi, je saurai me faire entendre.

D'une voix basse et intense.

Violaine! Violaine! je suis ta sœur! m'entends-tu, Violaine?

JACQUES HURY

Sa main! J'ai vu cette main remuer!

MARA

Ha ha ha! vous le voyez? elle entend! elle a entendu!

Cette voix, cette même voix de sa sœur qui un certain jour de Noël a fait force jusqu'au fond de ses entrailles!

JACQUES HURY

Père, père! elle est folle! vous entendez ce qu'elle dit?

Ce miracle... cet enfant... je suis fou... elle est folle!

ANNE VERCORS

Elle a dit vrai. Je sais tout.

MARA

Non, non, non! je ne suis pas folle! Et elle, regardez! elle entend, elle sait, elle a compris!

Pan pan pan!...

Qu'est-ce qu'il disait, le père, tout à l'heure qu'est-ce qu'il dit, le premier coup de l'Angélus?

ANNE VERCORS

L'Ange de Dieu a annoncé à Marie et elle a conçu de l'Esprit-Saint.

MARA

Et qu'est-ce qu'il dit, le second coup?

ANNE VERCORS

Voici la servante du Seigneur, qu'il me soit fait suivant votre volonté.

MARA

Et qu'est-ce qu'il dit, le troisième coup?

ANNE VERCORS

Et le Verbe s'est fait chair et il a habité parmi nous.

MARA

Et le Verbe s'est fait chair et il a habité parmi nous!

Et le cri de Mara, et l'appel de Mara, et le rugissement de Mara, et lui aussi, il s'est fait chair au sein de cette horreur, au sein de cette ennemie, au sein de cette personne en ruine, au sein de cette abominable lépreuse!

Et cet enfant qu'elle m'avait pris,

Du fond de mes entrailles j'ai crié si fort qu'à la fin je le lui ai arraché, je l'ai arraché de cette tombe vivante,

Cet enfant à moi que j'ai enfanté et c'est elle qui l'a mis au monde.

JACQUES HURY

C'est elle qui a fait cela?

MARA

Tu sais tout! oui, cette nuit, la nuit de Noël!

Aubaine, je t'ai dit qu'elle était malade, ce n'était pas vrai, elle était morte! un petit corps glacé!

Et tu dis que c'est elle qui a fait cela? C'est Dieu, c'est Dieu qui a fait cela! tout de même j'ai été la plus forte! c'est Mara, c'est Mara qui a fait cela!

> JACQUES HURY pousse une espèce de cri, et, repoussant violemment MARA, il se jette aux pieds de VIOLAINE.

MARA

Il se met à genoux! cette Violaine qui l'a trahi pour un lépreux.

(Et cette terre qui suffit à tout le monde. elle n'était pas bonne pour elle!)

Et cette parole qu'elle avait jurée, avec ses lèvres elle l'a mise entre les lèvres d'un lépreux...

JACQUES HURY

Tais-toi!

MARA

Violaine! c'est elle seule qu'il aime! C'est elle seule qu'ils aimaient tous!

C'est elle seule qu'ils aimaient tous! et voilà son père qui l'abandonne, et sa mère bien doucement qui la conseille, et son fiancé comme il a cru en elle!

Et c'était là tout leur amour. Le mien est d'une autre nature!

JACQUES HURY

C'est vrai! Et je sais aussi que c'est toi qui as conduit Violaine jusqu'à ce trou de sable,

Une main par la main qui la tirait et l'autre qui la pousse.

MARA

Il sait cela! rien ne lui échappe.

JACQUES HURY

Ai-je dit vrai ou non?

MARA

Et fallait-il que cet homme qui m'appartient et qui est à moi soit coupé en deux? une moitié ici et l'autre dans le bois de Chevoche?

Et fallait-il que mon enfant qui est à moi fût coupé en deux et qu'il eût deux mères? L'une pour le corps et l'autre pour son âme?

C'est moi! c'est moi qui ai fait cela!

> Sourdement et avec accablement, regardant ses mains.

C'est moi, c'est moi qui ai fait cela!

ANNE VERCORS

Non, Mara, ce n'est pas toi, c'est un autre qui te possédait. Mara, mon enfant! tu souffres et je voudrais te consoler!

Il est revenu à la fin, il est à toi pour toujours
ce père jadis que tu aimais!

Mara, Violaine! ô mes deux petites filles! ô mes
deux petits enfants dans mes bras! Toutes les deux,
je vous aimais et vos cœurs ensemble ne faisaient
qu'un avec le mien.

MARA, avec un cri déchirant.

Père, père! mon enfant était mort et c'est elle
qui l'a ressuscité!

VOIX D'ENFANT AU-DEHORS

Marguerite de Paris
Prête-moi tes souliers gris
Pour aller en paradis!
Qu'i fait beau!
Qu'i fait chaud!
J'entends le petit oiseau
Qui fait pi i i i!

Au milieu de la chanson VIOLAINE élève lentement le bras et elle le laisse retomber à côté
de JACQUES.

VIOLAINE

Père, c'est joli, cette chanson, je la reconnais!
c'est celle que nous chantions autrefois quand nous
allions chercher des mûres le long des haies,

Nous deux Mara!

ANNE VERCORS

Violaine, c'est Jacques qui est là tout près de
toi.

VIOLAINE

Est-ce qu'il est toujours en colère?

ANNE VERCORS

Il n'est plus en colère.

VIOLAINE. Elle lui met la main sur la tête.

Bonjour, Jacques!

JACQUES HURY, sourdement.

O ma fiancée à travers les branches en fleurs,
salut!

VIOLAINE

Père, dites-lui que je l'aime.

ANNE VERCORS

Et lui aussi, il n'a jamais cessé de t'aimer.

VIOLAINE

Père, dites-lui que je l'aime!

ANNE VERCORS

Ecoute-le qui ne dit rien.

VIOLAINE

Pierre de Craon...

ANNE VERCORS

Pierre de Craon?

VIOLAINE

Pierre de Craon, dites-lui que je l'aime. Ce baiser
que je lui ai donné, il faut qu'il en fasse une église.

ANNE VERCORS

Elle est commencée déjà.

VIOLAINE

Et Mara, elle m'aime! Elle seule, c'est elle seule qui a cru en moi!

ANNE VERCORS

Jacques, écoute bien!

VIOLAINE

Cet enfant qu'elle m'a donné cet enfant qui m'est né entre les bras;

Ah! grand Dieu, que c'était bon! ah que c'était doux! Mara! Ah comme elle a bien obéi, ah comme elle a bien fait tout ce qu'elle avait à faire!

Père! père! ah que c'est doux, ah que cela est terrible de mettre une âme au monde!

ANNE VERCORS

Ce monde-ci, dis-tu, ou y en a-t-il un autre?

VIOLAINE

Il y en a deux et je dis qu'il n'y en a qu'un et que c'est assez, et que la miséricorde de Dieu est immense!

JACQUES HURY

Le bonheur est fini pour moi.

VIOLAINE

Il est fini, qu'est-ce que ça fait?

On ne t'a point promis le bonheur, travaille,
c'est tout ce qu'on te demande.

Interroge la vieille terre et toujours elle te répon-
dra avec le pain et le vin.

Pour moi, j'en ai fini et je passe outre.

Dis, qu'est-ce qu'un jour loin de moi? Bientôt il
sera passé.

Et alors quand ce sera ton tour et que tu verras
la grande porte craquer et remuer,

C'est moi de l'autre côté qui suis après.

JACQUES HURY

O ma fiancée à travers les branches en fleurs,
salut!

VIOLAINE

Tu te souviens?

Jacques! bonjour, Jacques!

— Et maintenant il faut m'emporter d'ici.

JACQUES HURY

T'emporter?

VIOLAINE

Ce n'est point ici la place d'une lépreuse pour
y mourir.

Faites-moi porter dans cet abri que mon père
avait construit pour les pauvres à la porte de Monsanvierge.

JACQUES HURY fait le geste de l'emporter.

Non pas vous, Jacques.

JACQUES HURY

Eh quoi, pas même ce dernier devoir?

VIOLAINE

C'est mon père que je veux. C'est entre les bras de mon père que je remets mon esprit.

> *Silence.* ANNE VERCORS *prend le poignet de* VIOLAINE *et il compte lentement de la main gauche, les yeux baissés.*

VIOLAINE

Jacques, tu es là encore?

JACQUES HURY

Je suis là.

VIOLAINE

Est-ce que l'année a été bonne et le blé bien beau?

JACQUES HURY

Tant qu'on ne sait plus où le mettre.

VIOLAINE

Ah!

Que c'est beau une grande moisson!...

Oui, même maintenant je me souviens et je trouve que c'est beau!

JACQUES HURY

Oui, Violaine.

VIOLAINE

Que c'est beau de vivre! *(avec une profonde ferveur)* et que la gloire de Dieu est immense!

JACQUES HURY

Vis donc et reste avec nous.

VIOLAINE. Elle retombe sur sa couche.

Mais que c'est bon aussi
De mourir alors que c'est bien fini et que s'étend
sur nous peu à peu
L'obscurcissement comme d'un ombrage très
obscur

Silence.

ANNE VERCORS

Elle ne dit plus un mot.

JACQUES HURY

Prenez-la. Elle est à vous. Portez-la où elle a dit.
Pour moi elle ne veut point que je la touche.
Doucement! bien doucement, je vous dis!

ANNE VERCORS sort, emportant le corps,
JACQUES HURY le suit des yeux.

L'ANGÉLUS (voix) :

1. *Pax pax pax*
2. *Pax pax pax*
3. *Père père père*

VOLÉE :

*Gloria in excelsis Deo et in terra pax hominibus
bonae voluntatis*
  Laetare
  Lae ta re
  Lae ta re!

Pendant ce temps et tandis que JACQUES HURY regarde ANNE VERCORS qui s'éloigne avec le corps de VIOLAINE, MARA s'avance, portant son enfant. JACQUES HURY se retourne lentement vers elle. MARA élève son enfant et fait avec lui le signe de la croix. JACQUES HURY tourne la tête un moment vers le chemin où ANNE VERCORS a disparu, puis vers MARA. Tous deux se regardent longuement et profondément pendant qu'expirent les dernières notes de l'Angélus.

16 novembre 1938.

EXPLICIT

TABLE

BRODARD ET TAUPIN — IMPRIMEUR - RELIEUR
Paris-Coulommiers. — France.
05.715-III-3-679 - Dépôt légal n° 3572, 1er trimestre 1964.
LE LIVRE DE POCHE - 4, rue de Galliéra, Paris.

LE LIVRE DE POCHE

VOLUMES PARUS ET A PARAITRE
DANS LE 1er SEMESTRE 1964

MARS

JEAN GUEHENNO
Journal d'un homme de 40 ans.

PAUL GUTH
Le Naïf sous les drapeaux.

J.-K. HUYSMANS
La Cathédrale.

E.-M. REMARQUE
L'Ile d'espérance.

LOUIS PAUVELS
Le Matin des magiciens.

HENRY DE MONTHERLANT
Le Maître de Santiago.

MAZO DE LA ROCHE
L'Héritage des Witheoaks.

CHARLOTTE BRONTË
Jane Eyre.

MAI

SACHA GUITRY
Mémoires d'un tricheur.

ERSKINE CALDWELL
Un P'tit gars de Géorgie.

JEAN GIRAUDOUX
Intermezzo.

MARCEL ARLAND
Terre natale.

ROGER NIMIER
Histoire d'un amour.

MAURICE MAETERLINCK
La Vie des fourmis.

AVRIL

JEAN JOUHANDEAU
Chroniques maritales.

LUIGI PIRANDELLO
Six personnages en quête d'auteur
suivi de La volupté de l'honneur.

GUY DE MAUPASSANT
La Petite Roque.

GRAHAM GREENE
L'Homme et lui-même.

ALBERTO MORAVIA
Les Ambitions déçues.

JEAN GIONO
Les Grands chemins.

REBECCA WEST
La Famille Aubrey.

JUIN

EDMOND ROSTAND
L'Aiglon.

PIERRE BENOIT
Les Compagnons d'Ulysse.

LAWRENCE DURRELL
Cléa.

RENÉ HARDY
Sentinelle perdue.

MARCEL AYME
La Vouivre.

ARTHUR KOETSLER
Spartacus.

ANDRÉ BRETON
Nadja.

LANZA DEL VASTO
Pèlerinage aux sources.

ALFRED KERN
Le Bonheur fragile.

CLASSIQUES
DE POCHE RELIÉS

Les œuvres des grands auteurs classiques, dans le texte intégral et présentés par les meilleurs écrivains contemporains. Une présentation particulièrement soignée, format 17,5×11,5, reliure de luxe pleine toile, titre or, fers spéciaux, tranchefile, gardes illustrées, sous rodhoïd transparent.

BALZAC
- S. Une ténébreuse affaire.
- D. Le cousin Pons.
- D. La cousine Bette.
- D. Le père Goriot.
- D. La Rabouilleuse.
- D. Les Chouans.

BAUDELAIRE
- S. Les Fleurs du Mal.

CHODERLOS DE LACLOS
- D. Les liaisons dangereuses.

DOSTOIEVSKI
- S. L'éternel mari.
- D. L'idiot, *tome I.*
- D. L'idiot, *tome II.*
- S. Le joueur.

FLAUBERT
- D. Madame Bovary.

GOGOL
- D. Les âmes mortes.

HOMÈRE
- D. Odyssée.

MACHIAVEL
- S. Le prince.

NIETZSCHE
- D. Ainsi parlait Zarathoustra.

OVIDE
- S. L'art d'aimer.

PASCAL
- D. Pensées.

POE
- D. Histoires extraordinaires.
- S. Nouvelles histoires extraordinaires.

RIMBAUD
- S. Poésies complètes.

STENDHAL
- D. La chartreuse de Parme.
- D. Le rouge et le noir.

SUÉTONE
- D. Vies des douze Césars.

TACITE
- D. Histoires.

TOLSTOI
- D. Anna Karénine, *tome I.*
- D. Anna Karénine, *tome II.*
- D. La sonate à Kreutzer.

VOLUMES PARUS ET A PARAITRE
DANS LE 1er SEMESTRE 1964

BAUDELAIRE
- S. Le Spleen de Paris.

BALZAC
- S. La duchesse de Langeais.
- S. Le Colonel Chabert.

DUCASSE (Lautréamont)
- D. Œuvres complètes (Les Chants de Maldoror).

VICTOR HUGO
- D. Les misérables, *tome I.*
- D. Les misérables, *tome II.*
- D. Les misérables, *tome III.*

LA FONTAINE
- D. Fables.

MÉRIMÉE
- D. Colomba.

MOLIÈRE
- D. Théâtre, *tome I.*
- D. Théâtre, *tome II.*
- D. Théâtre, *tome III.*
- D. Théâtre, *tome IV.*

ABBÉ PRÉVOST
- S. Manon Lescaut.

RACINE
- D. Théâtre, *tome I.*
- D. Théâtre, *tome II.*

VERLAINE
- S. Poèmes Saturniens
- S. Jadis et Naguere. Parallèlement.

VILLON S. Poésies complètes.

S : (Volume simple) 3f,90 *taxe locale incluse.*
D : (Volume double) 4f,90 *taxe locale incluse.*

LE LIVRE DE POCHE
ENCYCLOPÉDIQUE

PARUS ET A PARAITRE DANS LE 1er SEMESTRE 1964

I 1353